CHARLES

D1585915

Er cof am fy chwiorydd Glenys a Beryl,
wedi colli dwy mor annwyl

CHARLES

Cofio'r Dyn a'i Ddigrifwch

IDRIS CHARLES

Argraffiad cyntaf: 2015

Dymuna'r cyhoeddwyr gydnabod cymorth ariannol
Cyngor Llyfrau Cymru

Llun y clawr drwy ganiatâd Llyfrgell Genedlaethol Cymru
Cynllun y clawr: Y Lolfa

Rhif Llyfr Rhyngwladol: 978 1 78461 166 8

Cyhoeddwyd, rhwymwyd ac argraffwyd yng Nghymru gan
Y Lolfa Cyf., Talybont, Ceredigion SY24 5HE
gwefan www.ylolfa.com
e-bost ylolfa@ylolfa.com
ffôn 01970 832 304
ffacs 832 782

DIOLCH...

i Wili, Glyn a Valmai (brodyr a chwaer) am ganiatáu a rhoi rhyddid i mi hel straeon am ein tad;

i Emrys Williams (Yncl Emrys) am ei gof, ac am y lluniau;

i Ellis Wyn Roberts am ei atgofion gwerthfawr;

i Arwel Jones, Hogia'r Wyddfa;

i Vaughan Evans, ŵyr yng nghyfraith T C Simpson, am luniau'r cawr o ddigrifwr;

i Ann Fôn, Radio Cymru, am ei chymorth, ei doethineb a'i gofal caredig;

i Alun Jones a Nia Peris am wneud yn siŵr fod fy spelings yn iawn;

i Lefi Gruffudd am fod mor glên â chyhoeddi'r gyfrol;

ac i chitha am brynu'r gyfrol – gobeithio y cewch chi fwynhad yn y darllen, ac y daw ag atgofion 'nôl i chitha am y dyn a wnaeth i Gymry chwerthin... ac wylo.

RHAGAIR

Dad, mae'r hiraeth am eich cwmnïaeth yn fawr. Dwi isio bod ym meudy Cerrig Duon eto efo chi pan oedd yn well gen i law na haul. Ar ddiwrnod glawog mi oeddan ni efo'n gilydd, neb arall yn bwysig. Gweddïo am haul i gael mynd i lan y môr efo pwcad, rhaw a phêl oedd plant Bodffordd. Dyna fyddai pleser gwyliau haf iddyn nhw. Gweddïo am law, yntê, Dad, fyddwn i; 'mond chi a fi oedd yn gwybod hynny. Dwi eto rŵan am glywed pitran-patran y glaw ar do'r hen feudy, neu sied to sinc y das wair, a chlywed eich llais yn sôn am gymeriadau roeddach chi wedi'u creu yn arbennig i mi. Finna'n sâl yn chwerthin am bob ystum, pob hanner tro, am y llaw drwy'r gwallt, am grafu'r ên, am dynnu'r dannedd gosod, am ddweud y cyfan mewn pantomeim un dyn i gynulleidfa o un plentyn.

Mi rown y byd am gael clywed stori'r mochyn bach eto, Dad. Dwi'n siŵr yn y dyddiau hynny fod hyd yn oed y diferion glaw ar y ffenestri'n stopio i wrando! Pam arall nad oeddan nhw'n llithro i'r gwaelod yn syth?

Ydach chi'n cofio'r diwrnod hwnnw a chitha i fod yn gweithio yn yr ardd? Captan ac Anti Lisi 'di mynd i farchnad Llangefni ac mi ddaeth yn law mân. 'Ty'd,' meddach chi, 'mi awn i'r stabal cyn iddi fynd yn law mawr.' Mi oedd y stabal yn nes i'r ardd na'r beudy a'r das wair, ac mi drodd y glaw mân yn law trwm, a ni'n dau wrth ein boddau yn ista wrth yr agoriad i mewn i'r stabal. Dwi ddim yn cofio drws yno erioed, gan mai tractor, nid ceffyl, oedd yno erbyn hynny. A dyma chi'n fy rhoi i sefyll ar sedd y tractor, chitha'n tanio

7

stwmp sigarét, rhoi dau gam yn ôl a dweud wrtha i am drio cofio'r jôc am Mrs Fletcher yn disgyn o ffenest llofft i ganol lôn. Dyna'r tro cyntaf erioed i chi ofyn, a finna yn un ar ddeg oed ac ar fin mynd i'r ysgol fawr ar ôl gwyliau'r haf... Ymlaen â'r jôc 'ta.

'Pawb yn dŵad o'i chwmpas 'rôl iddi ddisgyn a gofyn be oedd 'di digwydd. Hitha'n atab nad oedd hi'n gwbod, am mai newydd gyrraedd oedd hi 'i hun...' ac ar hynny, a Nhad yn chwerthin rhwng pwffiadau o Woodbine, dyma 'na fellten yn goleuo'r nen, a tharan yn dilyn yn union syth.

''Na chdi,' medda chi, 'ti 'di cael tynnu dy lun, a chymeradwyaeth ar dy jôc gynta.'

Dad, sgin i ddim cof i chi ddweud 'mod i'n dda chwaith. Oeddwn i?

Dwi'n difaru ac yn sori na fyddwn wedi'ch canmol chi'n fwy ac na fyddwn i 'di dweud wrth bawb gymaint o fêts oeddan ni, er efallai mai rŵan ydi'r amser iawn hefyd. Ond 'dach chi'n gwybod iddi fod yn galed arna i pan fyddai pawb yn dweud na fyddwn i byth cystal â chi... 'Dach chi'n cofio fi'n dweud wrthach chi 'mod i am roi'r gorau i berfformio? Ddudis i erioed wrthach chi pam. Wel, 'nes i'r peth iawn, Dad?

***

Mi fyddai fy nhad yn dathlu ei ben-blwydd yn gant oed ar Fedi'r 8fed eleni, 2015.

Mae'r gyfrol hon yn deillio o ddau beth sy'n ymwneud yn benodol â hynny.

Yn gyntaf, y ffaith fod gen i hiraeth yn fwy nag erioed am gwmni doniol a ffeind fy nhad. Roedd yn bleser pur bod yn ei gwmni, boed hynny ar gefn beic, yn teithio yn y car neu'n ista yn disgwyl i weld y doctor yn y syrjeri. I bawb y tu allan i'w fro, diddanwr ac actor oedd Charles Williams; i bobol ei fro, cymwynaswr oedd yn caru ei bentra yn angerddol; ac i blant y pentra, Yncl Chals oedd o, ac mi oedd hynny'n golygu mwy iddo na dim arall.

Yr ail reswm dros sgwennu'r gyfrol yw fod arnaf ofn iddo gael ei anghofio, a hynny yn fy oes i fy hun. Pan wrthododd S4C ei gofio mewn rhaglen ddogfen i ddathlu'r canmlwyddiant, ofnwn y byddai fy nhad, a gyfrannodd yn hael ac a roddodd bleser i gymaint o Gymry am chwe degawd, yn cael ei anghofio, a finna'n profi hynny.

Nid beirniadu S4C ydw i o gwbwl, na'r bobol wnaeth y penderfyniad; mae'n rhaid symud ymlaen yn hytrach nag edrych 'nôl drwy'r amser. Ond wedi'r gwrthod teimlwn yn gryf gyfrifoldeb i wneud rhywbeth, gan mai fi yw'r unig un bellach all roi ar gof a chadw pwy oedd Charles, a'i gyfraniad hael, digyfaddawd i gymdeithas, yn gyhoeddus ac yn ddirgel.

Mae'r gyfrol nid yn unig yn ei gofio fo, ond hefyd y gymdeithas glòs ym Modffordd a'i cynorthwyodd â balchder i gyrraedd ei nod. Mae'n gyfrol i gofio fy nain, er enghraifft, a bedlodd ar ei beic un sbîd i fyny elltydd Môn i'w gario o 'steddfod i 'steddfod. Mae'n gyfrol hefyd i gofio a chlodfori y cwmnïau drama a'r partïon cyngerdd amatur a welodd ynddo y potensial ar gyfer pethau mwy, ac a'i hanogodd yr holl ffordd, cyn iddynt basio'r baton a'r cyfrifoldeb i Sam Jones y BBC a'i debyg.

Sut galla i ganiatáu, tra bydda i byw, i'w hiwmor slic a sydyn farw yn Aberanghofiant?

Sut galla i ganiatáu i'r holl gymeriadau a bortreadodd ar lwyfan, radio a theledu gael eu claddu dan bridd creulon amser? Fe glywais i leisiau'r gwahanol gymeriadau o flaen pawb arall, lleisiau'r cymeriadau a glywodd ef ei hunan yng ngweithdy ei dad ym Mhenffordd.

Fedra i ddim gaddo yn onest fod pob un gair o'i straeon yn y gyfrol yn wir, nid am fy mod yn fwriadol yn dweud celwydd ond am nad ydw i'n siŵr a oedd o ei hun yn gwybod oeddan nhw'n wir.

Fe fyddai wedi bod yn hollol amhosib i mi wneud cyfiawnder llawn â'r dyn a'i ddoniau, ond mi fentra i ddweud imi wneud ymdrech go lew.

Rhwng y chwerthin, yr wylo a mwy o chwerthin fe ddois i ben, ac os cewch chi ddarllenwyr hanner cymaint o fwynhad yn darllen ag a gefais i yn sgwennu, mi fyddwch yn falch i chi brynu'r gyfrol.

Anrheg ddelfrydol i'r rhai sydd am ei gofio... a hynny am y tro olaf efallai.

Diolch.

Idris Charles
Gorffennaf 2015

1
PAM Y COFIANT?

DWI'N SGWENNU'R COFIANT hwn am resymau hollol hunanol. Hiraeth... 'Hiraeth mawr a hiraeth creulon, hiraeth sydd yn torri 'nghalon...' meddai'r gân Gymraeg boblogaidd, ac er bod yr hiraeth sydd gen i yn ddwys, eto hiraeth pleserus, nid un creulon, ydyw. Sut gall hiraeth fod yn bleserus? Syml: dwi'n hiraethu am berson unigryw sydd mewn llawer dull a modd yn dal i ddod â hapusrwydd i mi. Hiraethu ydw i am y dyddiau pan mai fy nhad, y Tywysog Charles o Fodffordd, oedd y dyn mwyaf doniol fu, pan oedd yn byw yn ein tŷ ni ac yn cerdded i fyny ac i lawr tair stryd Bodffordd. Ar Fedi'r 8fed eleni, 2015, mi fyddai o'n dathlu ei ben-blwydd yn gant oed.

Dwi'n hiraethu am ei ddoniolwch ar yr aelwyd, yn hiraethu am glywed llais cyfeillgar, cellweirus Charles y gŵr efo Mam dros banad o de a *cream cracker*.

'Jini,' meddai, gan edrych i fyw ei llygaid, 'Jini, 'dach chi 'di bod yn dda efo fi a'r plant 'ma. Rhyw ddiwrnod dwi am fynd â chi i weld y byd.'

'O, peidiwch â rwdlan, Charles,' meddai Mam.

'Na, wir, dwi am ddangos y byd i chi. Mae gin Tomi 'mrawd atlas ar agor yn ffenast ei siop.'

Dwi'n hiraethu am ffraethineb Charles y tad, a'i ymateb cyflym a doniol i achlysur neu ddigwyddiad annisgwyl.

'Mae 'na ddyn diarth efo locsyn yn y drws cefn, Dad!'

'D'wad wrtho fo nad ydw i ddim isio un!'

Hiraethu wedyn am y floedd gyffrous, blentynnaidd, dros y tŷ o enau Charles yr hyfforddwr pan fyddai ei gôr adrodd fenga yn dŵad adra 'di ennill y wobr gyntaf yn Eisteddfod Môn, a'r floedd pan oedd ei ddau gôr adrodd hŷn wedi ennill yn y Genedlaethol.

Yr hiraeth sydd hyd heddiw yn fy siglo heb reolaeth wrth gofio Charles y digrifwr cyflawn, digyfaddawd yn chwerthin yn falch wedi iddo greu diweddglo newydd i hen jôc. Fi fyddai'r cyntaf i roi fy marn arni. 'Idris, be ti'n feddwl o hon?' Mi fydden ni wedyn yn glana chwerthin... Wedyn trafod i weld a oedd modd cael mwy allan o'r jôc, a phob yn ail frawddeg: 'Be ti'n feddwl?'

Yn wahanol i rai digrifwyr, mi fyddai Nhad wrth ei fodd pan fyddai pobol yn dŵad ato a dweud, 'Ti 'di clwad hon, Charles?' Ac os byddai o wedi'i chlywed hi, fyddai o byth yn dweud hynny wrthyn nhw.

Dwi wir yn hiraethu am y seiat gomedi fydden ni'n ei chael, dim ond fo a fi. Mae 'na dueddiad heddiw efo rhai digrifwyr i glywed jôc, chwerthin, yna ei dweud wrth y gynulleidfa, heb nabod y cymeriadau, heb weld y sefyllfa, heb wybod y geiriau allweddol. Y jôc yn marw, a'r digrifwyr honedig yn clywed sŵn eu traed eu hunain yn dod oddi ar y llwyfan pren. Wedyn, cwyno wrth bawb o'u cwmpas fod y gynulleidfa yn un wael.

Mae 'na ddigrifwyr eraill sy'n cymryd y busnes comedi 'ma fel busnes difrifol iawn. Y rheiny, i mi, sy'n llwyddo. Mi fyddai Nhad, fel Bob Monkhouse a Ken Dodd, yn dweud, 'Os nad ydi'r gynulleidfa yn ymateb, arnoch chi'r digrifwr mae'r bai.' Fyddai o na nhw byth yn meiddio sefyll o flaen cynulleidfa fawr neu fach heb ymarfer y deunydd yn ofalus. Mi wn fod y tri – Charles, Ken a Bob – yn ymarfer am oriau cyn meiddio ynganu'r gair cyntaf, heb sôn am y stori a'r *punchline*. Mae gan Ken ddrych enfawr yn ei dŷ a byddai'n sefyll am oriau o'i flaen i ymarfer gwneud stumiau ar ei wyneb – y pethau bach sy'n gwneud y stori yn stori fawr. Mi fyddai Frankie Howerd hefyd yn ymarfer ei 'Oh oh no, Missus, no, now look now, ah, yes.' Nid taflu'r geiriau yma i mewn fel y byddai o'n teimlo ar y noson roedd o; roeddan nhw wedi'u hymarfer yn berffaith.

Felly i Nhad, fel ei arwyr comedi, roedd cael yr effaith iawn wrth ddweud jôc, iddo fo, yr un mor bwysig ag actio yn *Mr Lolipop MA* neu gyflwyno sgript ddrama *O Law i Law*. Wrth gwrs, roedd yna adegau pan gâi llinell ddoniol ei thaflu allan at y gynulleidfa heb ei hymarfer wrth ateb heclwr. Er, roedd yna baratoi wedi bod y tu ôl i'r frawddeg yna hyd yn oed, o oedd! Sut? Wel, mi fyddai ganddo syniad go dda pwy fyddai yn y gynulleidfa. Mi fyddai wedi holi'n ofalus: 'Pwy 'di'r bancwr? Pwy sy'n berchen y garej? Pwy 'di'r dyn oedd yn mynd fel ffŵl drwy'r pentra ar ei dractor?'

Dewch efo fi am funud neu ddau i'r seiat, i chi gael gweld a phrofi, gobeithio, pam mae'r hiraeth am gwmni Gamaliel yn rhoi gwên ar fy ngwyneb. Caiff y seiat ei chynnal yn stafell gefn tŷ cyngor ym Modffordd, o flaen tanllwyth o dân, ym mis Hydref. Dau yn unig sydd yn y seiat: Nhad yr athro a finna y prentis. Mae Mam a fy chwiorydd Glenys, Beryl a Valmai yn eu gwlâu, a Wili a Glyn, fy mrodyr, allan yn caru. Dewch yn nes i glustfeinio. Peidiwch â cholli dim. Mae pob brawddeg, pob gair, pob llythyren hyd yn oed, yn bwysig i'r athro – y seibiadau, yr amseru, yr awyrgylch a'r cymeriadu yr un mor bwysig â'i gilydd; hyd yn oed yr enwau. Mae'r enwau'n gorfod ffitio'r cymeriad. Fyddai'r athro hwn byth yn dweud, 'Aeth y ddau foi 'ma i...' Mi fyddai o'n gosod y sefyllfa, y lleoliad, yr amser hyd yn oed, os byddai hynny'n ychwanegu at y jôc.

Dyma i chi enghraifft ohono yn fy nysgu i, y prentis dibrofiad. Dweud y jôc fel mae hi gyntaf ac yna newid, cryfhau ac yn y blaen. Byddai'r jôc wedi cychwyn ar ei thaith o'r felin fel hyn:

'Y ddau foi 'ma mewn tafarn yn Llangefni rhyw noson. Dyma un yn deud wrth y llall:

"Mae'r peis 'ma'n hannar pris heno."

Y llall yn ateb, "Hannar pris? O nabod y tafarnwr 'ma, mi fydd 'di tynnu hannar y cig allan!"'

Na, dydi hi ddim y jôc orau 'dach chi wedi'i chlywed, ond mae 'na botensial iddi, er y galla i ddychmygu pobol yn chwerthin o'i chlywed fel mae hi, os caiff ei dweud yn y lle iawn ac wrth y gynulleidfa iawn. Ond mi fyddai'n cryfhau a chryfhau eto ar ôl i'r athro a'r prentis bach newid ac ychwanegu ambell beth a mynd i'r afael â hi. Mi wellodd yn syth wedi enwi'r tafarnwr, un sy'n adnabyddus am ei gynildeb. Elwyn Bach oedd yn digwydd bod yn gweithio yn y Royal, Malltraeth, felly dyma El Bach yn troi'n 'Ale Bach'. Ia, cynnil ac effeithiol heb dynnu gormod o sylw oddi ar y jôc. Mi welson ni y byddai'r jôc yn gwella eto wrth i'r ddau foi gael enwau, enwau oedd yn adlewyrchiad o ddynion meddw. Mi fyddai Mervyn Lloyd Jones yn enw da i feddyg, Aelod Seneddol neu ddarlithydd Mathemateg, ond ddim i feddwyn mewn *pub*, felly cafodd ei ailfedyddio yn Merfyn Ŵan John – oedd, gyda llaw, yn un o fy ffrindiau ysgol i. Ymlaen â ni, ac rŵan mi symudwn y dafarn yn y seiat o Langefni, sy'n enw rhy gyffredin, i Rosybol, sy'n enw lot mwy doniol. Mi aeth y 'rhyw noson' yn bnawn dydd Iau ar ddiwedd wythnos, a phres yn brin i fois mewn *pub*. Felly os ydi pres yn brin, rhaid meddwl am well bargen na chynnig pei am hanner pris.

'Reit 'ta,' meddai Dad wrth gerdded i ffwrdd oddi wrtha i a sefyll â'i ben ôl at y tân, cyn troi 'nôl efo gwên ar ei wyneb. 'Be ti'n feddwl o hon?'

Erbyn hyn mae'r enwau i gyd ganddo, y lleoliad, yr amser a'r dynwarediad.

'Dwi'n cofio, 'sdi,' meddai o, 'clwad am Merfyn Ŵan John a Robin Goch Cefn mewn *pub* yn Rhosbol ar bnawn dydd

Iau jyst cyn amsar te, a medda Robin dan hannar sychu'i
drwyn,

"Dew, Myrf, o'n i'n darllan yn y *Daily Post* bora 'ma, 'chan,
fod *pub* yr hen Royal Êl Malltraeth yn cynnig dynas, porc
pei a pheint o gwrw am hannar coron."

'A medda Myrf, "Mae'n siŵr na fydd 'na ddim llawar o gig
yn y pei.'"

Gwell?

Dwi wedi dweud y jôc yna sawl gwaith, a gwneud iddi
swnio'n hollol wir, gan anghofio'n llwyr am y drafodaeth
efo'r meistr, ac mae 'na bobol eraill wedi'i dweud hi a'i
hailddweud fel petai'n wir. Ac mae 'na bobol 'di dŵad ataf
fi a dweud, 'Ol, toedd Myrf yn ges, d'wad? Nabod o'n dda,
'sdi!'

Dyna'r math o beth sy'n ychwanegu at jôc. Dyna sy'n ei
gwneud yn well jôc, a dyna'r math o beth dwi'n hiraethu
amdano: bod wrth draed yr athro. Dwi wedi cael y fraint
o weithio efo rhai o ddigrifwyr gorau Prydain: Shane
Richie (*EastEnders*), Cannon and Ball, Jimmy Cricket, y
Grumbleweeds, Johnnie Casson, Mike Doyle, Powys and
Jones, Eli Woods a Joe Pasquale pan oeddan nhw i gyd ar y
brig. Yn aml iawn, cynnig awgrymiadau bach syml i'r hyn
oedd ganddyn nhw'n barod fyddwn i. Sut, meddech chi,
oedd dyn bach cyffredin fel fi'n medru awgrymu pethau
bach fyddai'n gwella perfformiad y mawrion hyn? Wel, wedi
cael yr addysg orau gan yr athro, gan Nhad, oeddwn i.

Petawn i'n gallu dweud gair wrtho, mi ddywedwn eto:

'Dad, mae'r hiraeth am eich cwmnïaeth yn fawr.'

2

SNEB YN NABOD NHAD FEL FI...

MAE'N FLWYDDYN DATHLU canmlwyddiant geni Charles Williams eleni, sef 2015. I'r rhai ohonach chi nad ydach chi erioed wedi clywed am Charles Williams o Fodffordd, wel, caniatewch i mi ddweud hyn ar y dechrau: anghofiwch y 'Charles', sy'n llawer rhy posh, ac anghofiwch am Fodffordd hefyd. I bawb oedd yn ei nabod fel cyd-weithiwr, cymydog a ffrind, Chals oedd hwn ac yn Botffoth yr oedd yn byw.

Bu Dr R Alun Evans yn cydweithio ag o unwaith a galw Charles yn 'Mr Williams'. Parchus iawn, chwarae teg iddo, ond wnaeth o ddim wedyn.

Chals roedd Nhad yn ei alw ei hun wrth siarad efo pobol. 'Chals dwi, pa hwyl sy?' Pan oedd angen rhywun i wirfoddoli yn y capel neu'r gymdeithas, 'Peidiwch â poeni, mi neith Chals 'lwch.' Pan fyddai o wedi ffeindio rhywbeth, 'Chals bia hwn, 'dwch?' Neu isio mynd i rywle, ''Di Chals yn cael dŵad, 'dwch?' neu 'Oes 'na le i Chals, 'dwch?' Pan oedd yn sâl, 'Chals ddim yn teimlo'n dda heno' neu 'Chals ddim yn cael cystal hwyl heno', ac yna 'Ew, cynulleidfa dda i Chals heno.' Heb anghofio, wrth gwrs, mai Yncl Chals oedd o i blant y byd a'r betws.

Yn ystod y gyfrol hon mi fyddaf ar adegau yn cyfeirio ato fel Charles Williams, Chals, Charli, Charles neu Nhad a Dad, gan ddibynnu ar yr achlysur.

Pan fu farw Nhad yn Chwefror 1990 cyhoeddwyd cyfrol goffa iddo a rhoddwyd teyrngedau yn y gyfrol arbennig honno gan rai o fawrion y genedl, yn ogystal â ffrindiau bore oes. Felly, o ddilyn hynny, mi fyddwch yn y gyfrol newydd hon yn darllen am ŵr y dywedwyd y pethau canlynol amdano:

'Ei gamp oedd gwrando a chofio.' (Gwilym Owen)

'Dewin hiwmor.' (Gari Williams)

'Dim digon o fêl.' (Margaret Williams)

'Actor ffunen goch.' (Wilbert Lloyd Roberts)

'Mae'n anodd cael geiriau i lawn ddisgrifio'i werth.' (J O Roberts)

'Digrifwr deallus, actor cydwybodol, medrus, a hen gyfaill hoffus a theyrngar.' (Meredydd Evans)

'Cynhyrchydd di-guro ac yr oedd pawb ohonom wrth ein bodd yn ei gwmni.' (T P Roberts)

'He was lovely.' (Cast yr *Archers*)

'Yr hogyn clên o Fôn.' (Goronwy Evans)

'Gwyddai yn anad neb mai'r gynulleidfa sydd bwysicaf bob amser.' (John Ogwen)

'Diolchgarwch... am ei gyfraniad gwiw i ddiwylliant ein cenedl.' (Ellen Roger Jones)

'Roedd ei gynghorion yn rhai gwerthfawr bob amser.' (John Pierce Jones)

'Mi oedd hi'n hwyl cael bod efo Charles – ac yn addysg.' (Alwyn Humphreys)

Pan ofynnwyd i mi dro yn ôl a fyddwn yn fodlon darllen detholiad o *Wel Dyma Fo*, sef hunangofiant fy nhad, a hynny o flaen cynulleidfa i ddathlu'r canmlwyddiant, neidiais at y cyfle. Ond wedi glanio, a dŵad at fy sensys, mi ges bwl bach o hiraeth: hiraeth am wên siriol, ddireidus fy nhad, a hiraeth am y cymeriadau y dois i'w nabod yn well na neb arall wrth deithio efo'r dyn roedd pawb ar un adeg am fod yn ei gwmni. Byddai darllen yr hunangofiant air am air fel y'i golygwyd gan y diweddar Guto Roberts wedi bod yn hawdd, yn fraint ac yn bleser.

Felly, er mwyn atgoffa fy hun o'r gyfrol, dyma ddiffodd y teledu a'r radio. Mi fyddwn wedi cael llawer iawn o hwyl a chwerthin, dwi'n siŵr, wrth i mi ddynwared y cymeriadau roedd o wedi'u dynwared mor wych i mi yn y beudy, ar y das wair ac ar gefn ei feic, y cymeriadau rheiny sydd mor fyw yn y cof.

Mynd i'r ciando i ddechrau darllen. Er mawr gywilydd i mi, doeddwn i ddim wedi cymryd llawer o sylw o'r hunangofiant hwnnw 32 o flynyddoedd yn ôl. Doedd yr hyn oedd mor fyw ac unigryw o'm cwmpas ddim yn bwysig rhwng dau glawr bryd hynny, a pheth arall, doeddan ni, ei blant, ddim yn meddwl bod ei fywyd mor arbennig â hynny. Dad oedd o, fatha pob tad arall. Dim ond pan fyddai pobol yn gofyn cwestiynau amdano roeddan ni blant yn sylwi nad oedd tad pawb ddim cweit 'run fath.

Mi ges fy magu yn fab i'r dyn 'ma roedd pawb yn ei nabod, ac roeddwn wedi arfer gweld pobol enwog yn troi i mewn i'n tŷ ni. Byddai pobol ddiarth o bob rhan o Gymru yn dŵad i'r pentra a gofyn ble'r oedd Charles Williams yn byw a chael eu synnu ei fod yn byw mewn tŷ cownsil. Daeth y cyfan yn ail natur i ni, ei blant, o dipyn i beth a daeth yr holl stŵr yn ddigon cyfarwydd i ni.

Felly, cyn i mi gael y gwahoddiad i ddarllen cyfrol Guto a Charles, doeddwn i erioed wedi gorfod darllen am rywbeth ro'n i'n ei wybod yn well na neb arall, ar adegau yn well na Nhad ei hun. Byddai angen ei atgoffa weithiau o'i helyntion, a byddai'n dweud, 'Ew, peth braf 'di cael cof da, 'te. Glywist ti am Rich Tŷ Isa' yn mynd at y doctor yn deud bod o 'di colli 'i gof, a'r doctor yn gofyn, "Ers faint 'dach chi wedi'i golli fo?" a medda Rich, "Colli be, 'dwch?"' Oedd, mi oedd ganddo fo jôc ar gyfer pob sefyllfa.

Mi oedd yn braf iawn cael mynd yn ôl i ddarllen hanes ei fywyd. Mi fûm yn darllen am oriau, â'm trwyn wedi'i lynu yn nhudalennau'r hunangofiant, fatha dafad â'i thrwyn mewn cae â thragwyddoldeb o laswellt o'i blaen. Bu'n rhaid taflu allan yr ychydig chwyn oedd wedi mynnu cael eu lle yn y borfa flasus, a mwynhau cnoi cil am oriau. Roedd ambell ddarn yn fwy blasus nag eraill, felly roeddwn yn cael fy nhemtio'n rhy aml i fynd yn ôl i orwedd yn y porfeydd gwelltog, braf yna, a chnoi'r cil dro ar ôl tro...

Mi fyddwn yn chwerthin yn uchel dros y tŷ ar adegau, a 'ngwraig druan yn methu cysgu. Mi oedd 'na gyfnodau o grio – ia wir, crio. Meddyliwch: gorwedd yn fy ngwely yn crio nes byddai'r dagrau'n rhedeg i lawr fy ngruddiau. Pam? Petaech yn nabod y dyn yma fel ro'n i'n ei nabod, mi fyddech yn gwybod.

Parhaodd y darllen am bedair noson. Ond er y blas ar dyfiant y borfa, mi wyddwn fod gormod o fannau noeth heb flewyn o laswellt arnyn nhw, mannau brown, marw, y mannau lle dylsai fod porfa yn tyfu'n gryf. Gwyddwn yn iawn, petai Nhad wedi hau'r had, y byddai Guto wedi dyfrio, a byddai medi llawnach erbyn i'r gwaith gael ei gyhoeddi.

Rhaid oedd i mi ofyn i mi fy hun yn onest, felly, pam nad oedd fy nhad wedi cynnwys cymaint o hanesion diddorol, dwys a digri eraill ei fywyd. Pam na fasa fo 'di sôn am gymeriadau ffraeth Gwalchmai roedd o wrth ei fodd yn eu cwmni, y bobol roddodd iddo'i ddeunydd comedi gorau? Pam na fyddai o wedi dweud am y paratoi trylwyr cyn pob cyngerdd, noson lawen a drama, yr oriau ar ei ben ei hun yn meddwl yn ddwys am y jôcs, a'r ymdrech i greu ergyd gryfach i bob jôc?

Pam ei fod wedi cadw'n ddistaw am yr oriau o lafur caled uwchben pob sgript, boed hi'n sgript radio, teledu neu ffilm, fel y byddai'n gwybod pob gair a phob pwyslais cyn y rihyrsal cyntaf un? Pam na fyddai o wedi pwysleisio mai amaturiaid cyngerdd a noson lawen oedd wedi rhoi'r sylfaen iddo, ac yn sicr wedi rhoi'r pleser mwyaf iddo, yn fwy na dim arall?

19

'Pam' oedd y cwestiwn mawr i mi, a holi oedd hi'n werth agor drysau caeedig y cof a cheisio cael atebion.

Mi wyddwn heb amheuaeth fod peth had wedi diflannu o'i gof yn llwyr yng ngwynt cryf, didostur a chas henaint, a pheth had wedi'i golli yn awel gostyngeiddrwydd a balchder. Yn ogystal, cafodd peth o'r hadau eu sathru dan draed bwystfilod iselder ysbryd, y pethau hynny nad oedd am eu cofio, a'r perffeithrwydd hwnnw a fyddai'n ei wneud yn ddyn cas ar adegau. Felly, dois i sylweddoli bod tipyn mwy i fywyd fy nhad na'r hyn oedd rhwng dau glawr *Wel Dyma Fo*.

Er bod fy niolch yn enfawr i'r diweddar annwyl Guto Roberts am ei waith clodwiw, a'i amynedd Job wrth geisio golygu'r hyn y byddai fy nhad yn ei adrodd wrtho, byddai'n rhaid i'r sgwennwr druan ddibynnu'n llwyr ar yr hyn roedd fy nhad yn ei ddatgelu. Byddai Guto'n ceisio lliwio ychydig ar ambell stori nad oedd yn glir yng nghof fy nhad, ond eto, byddai arno ofn gwneud cam â'i gyfaill, felly, yn hytrach nag ymyrryd, osgoi cynnwys y stori a wnâi.

Roedd y ddau'n ffrindiau pennaf a chanddynt yr un synnwyr digrifwch ond byddai gan Guto ormod o barch at Nhad i gynnwys yr hyn nad oedd yn addas neu ddim yn adlewyrchiad teg o Charles. Rheswm arall pam mae deunydd gwerthfawr ar goll yn y gyfrol *Wel Dyma Fo* yw nad oedd fy nhad yn fodlon dweud y cyfan rhag ypsetio neu frifo'n anfwriadol rai o'r cymeriadau yr oedd mor hoff ac amddiffynnol ohonynt.

Mi siaradai'n ddi-stop am bobol ei fro wrtha i a chriw dethol o ffrindiau. Dyma'r cymeriadau a ddeuai'n fyw wrth iddo sôn amdanynt ym meudy a stabal a thas wair Cerrig Duon, ac wrth ei gyd-actorion o gwmpas bwrdd cinio ac adeg panad rhwng ymarferion yn y BBC. Fedra i ddim meddwl bod y cymeriadau yma wedi mynd i ebargofiant. Alla i ddim dioddef meddwl chwaith fod bywyd a chofiant Nhad yn llawn heb hanesion am Mrs Jôs Tŷ Capal, Bob Tŷ Capal, Ŵan John, Merfyn Ŵan John, Bob Glan-llyn, Wil Tŷ Popty, Huws Frogwy Fawr, John Jôs Cariwr, T P Roberts, Ellis Wyn a'i frodyr, Tomi, Jac, Emrys ac Alun, a llawer, llawer mwy o gymeriadau. Mi fydd y bobol rheiny a'u clywodd yn breifat yn gwybod yr hanesion i gyd, ond roedd arna i isio rhoi blas i'r gweddill ohonach chi o'r profiad a gefais i a'r criw dethol hwnnw.

Felly, yn ddoeth neu'n ffôl, mi addewais i mi fy hun y byddwn yn ailsgwennu 'cofiant Charles Williams' o fy mhrofiad i fy hun, ac o'r hyn dwi'n gofio, a'r pethau hynny oedd yn bwysig i mi, sef ochor gomedi ei fywyd. Rhaid cyfaddef, dwi ddim yn cofio ble fues i ddoe na ble dwi'n mynd fory, a dwi ddim chwaith yn cofio faint o'r gloch mae Ceri fy ngwraig yn dŵad adra o'r gwaith neu pryd dwi'n mynd i weld y meddyg nesaf, ond dwi'n cofio beth ddigwyddodd yn Ysgol Bodffordd yn y flwyddyn 1955, a chofio'n dda reidio ar draws Camp Mona ar ffrâm beic yn gwrando ar fy nhad yn chwerthin... Ydw, dwi'n cofio'r hen ddyddiau yn dda, a'r comedi'n dda iawn, ac yn cofio'n well na neb ei hanesion o am yr hen ddyddiau, a'r cymeriadau.

Mi fydd y cofiant yma'n sôn am y berthynas rhwng 'y nhad a fi, rhwng Mam a Dad, rhwng fy mrodyr a'm chwiorydd, yr aelwyd go iawn, a llawer iawn mwy, y pethau rheiny na fyddai neb ond ni mewn gwirionedd yn gwybod am eu bodolaeth. Mi fydd y cofiant yn adrodd am y cymeriadau y clywais i amdanynt, a geiriau Nhad wrtha i ar ôl iddo orffen y storïau hyn fyddai, 'Cyma di ofal na fyddi di'n deud wrth neb.' Finna wedi arwain llu o gyngherddau, wedi cael sawl sbot comedi ar lwyfan yn Gymraeg a Saesneg, wedi perfformio comedi ar y radio a theledu ac wedi sgwennu dau lyfr, un yn llyfr jôcs Charles a fi – ond mae cyfrinachau'r cymeriadau y dywedodd o wrtha i am eu cadw dan glo wedi bod dan glo dwbwl, yn ddwfn yn seler fy nghof... tan rŵan!

Wrth reswm, mi fydd ambell beth yn cael ei ailgyflwyno o'r cyfrolau eraill am fy nhad, er mwyn gosod y cyfan yn ei gyddestun. Mae rhai pethau na fedra i eu newid.

Cafodd fy nhad ei eni yn 1915, mewn tyddyn bychan cyffredin, ac aeth i Ysgol Bodffordd. Dywedodd ei fod yn anobeithiol am wneud syms, a bob amser yn gwisgo trôns *long johns*, haf neu aeaf, yn blentyn ac yn ddyn, ac mi aeth i'w fedd felly, yn methu gwneud syms ac yn gwisgo *long johns*. Mi briododd Jennie. Cafodd hi amser caled pan oedd yn blentyn a chael ei mabwysiadu, ac er y byddai'n dioddef o iselder ar adegau, eto buodd yn wraig berffaith ac yn fam anhygoel o ffeind i saith o blant. Bu un plentyn farw pan oedd ond yn ddwyflwydd oed. I bawb oedd yn ei nabod, hi oedd y ddynes anwylaf fu byw ar wyneb daear erioed, a dwi wedi dweud lawer gwaith, heb Mam fyddai Dad yn neb.

Wedi i mi benderfynu sgwennu ei hanes a gwneud darlleniad, mi holodd Ann Fôn o Radio Cymru i mi recordio'r darlleniad, i roi cyfle, am wn i, i gynulleidfa ehangach gael ei glywed, wedyn mi ofynnodd hi i bwyllgor y Babell Lên yn Eisteddfod Genedlaethol Meifod am gael rhoi llwyfan i'r recordiad. O ganlyniad i'r holl ddiddordeb mi neidiais i ar lin Lefi yn y Lolfa yn Nhal-y-bont a gofyn a oedd ganddo ddiddordeb mewn cyhoeddi'r cofiant newydd oedd ar fin cael ei ddarllen. Mae'n rhaid ei fod o wedi cytuno, oherwydd dyma'r gyfrol.

Efallai erbyn hyn eich bod wedi clywed detholiad o'r gyfrol hon, neu i chi fod yn y gynulleidfa yn y Babell Lên. Gobeithio i chi fwynhau ac, os do, gobeithio y cewch fwynhad wrth ddarllen y gyfrol yn llawn rŵan. Chwerthin yw'r feddyginiaeth orau, meddan nhw, ond i mi sydd yn dioddef o glefyd y siwgwr, mae inswlin yn well.

3

CHARLES Y PLENTYN TÂN

CYN I MI sôn am Charles Williams yr actor a'r diddanwr, caniatewch i mi roi enghraifft i chi o sut hogyn oedd o pan oedd yn yr ysgol gynradd. Mi oedd Yncl Emrys, ei frawd hynaf, yn dweud mai hogyn bach swil oedd fy nhad, a bob amser yn oer. Roedd o hefyd yn hogyn direidus, bron iawn â bod yn hogyn drwg.

Roedd fy nhad yn smocio Woodbines ers pan oedd yn naw oed, er iddo gael gwared â'r arferiad drwg 'mhen amser, ac mi dwi'n ei gofio'n rhoi cyngor i mi beidio â smocio.

'Wyt ti 'di clwad hanas fi a'r tanau, d'wad?' fyddai o'n dweud.

Wrth gwrs 'mod i, sawl gwaith drosodd, fel y straeon eraill i gyd, ond ro'n i'n gwybod ei fod mewn hwyliau i ddweud y stori, felly er mwyn cael clywed y stori eto a'i blesio fo, byddwn yn ysgwyd fy mhen, fel petawn i erioed wedi clywed am y tân. Pan fyddai'n gofyn yr un cwestiwn i Wili, fy mrawd hynaf, byddai hwnnw'n ateb yn dawel a pharchus, 'Do, dwi'n meddwl yn siŵr, Nhad. Efo'r das wair, ia?' Ac mi fyddai Glyn, y brawd arall wedyn, yn dweud ar ei ben, heb ddim lol, 'Do, Dad, lawar gwaith, thanciw…'

Mi fyddai'n creu drama fawr wrth hel atgofion am y tanau yn ei fywyd, gan ddechrau'r stori fatha 'sa fo'n adrodd stori tylwyth teg.

'Un diwrnod, amser maith yn ôl, a fy mam wedi mynd i odro'r gwartheg, ro'n i'n eistedd ar fy mhen fy hun o flaen

y tân, ac mi ddaeth awydd smôc arna i. Doedd gen i ddim
baco, felly dyma fi'n rhowlio papur llwyd i'r un siâp â sigarét,
yna tanio a smocio'r papur llwyd. Ew, mi oedd hi'n dda. Ista
'nôl neu hannar gorfadd ar y soffa oeddwn i, ac ar ôl tri
pwffiad go dda mi oedd y sigarét hôm-mêd yn fendigedig.
Ond pan oeddwn ar fin cymryd y pedwerydd pwffiad, 'ma
fi'n clwad sŵn clocsia Mam yn dŵad at y tŷ. Mi oedd Mam
yn cerddad yn gyflym, yn rhy gyflym o lawer i hogyn oedd
yn smocio papur llwyd, a dwi'n siŵr ei bod yn gyflymach y
diwrnod hwnnw na'r arfar. Mi glywis glicied y drws, yna'r
drws yn gwichian agor a'r clocsia bellach 'di cyrraedd y tŷ...
Doedd dim i'w wneud ond taflu'r sigarét hôm-mêd o dan y
soffa – so ffa, so gwd! Ac ista 'nôl fel tasa dim drwg o gwbwl
'di neud.

'Ew, ro'n i'n teimlo'n falch bo fi wedi medru cuddio'r
sigarét oddi wrth Mam, tan imi gofio bod Mam yn rhoi
eithinen o dan y soffa i ddechrau'r tân yn y bora. Mi deimlis
fy mhen ôl yn cynhesu, ac yna'n poethi, a dyma fi'n neidio i
fyny a gweld tân o dan y soffa. Aeth y soffa'n wenfflam efo
help yr eithinen, fflamau'n cyrraedd y nenfwd a'r mwg yn
llenwi'r tŷ, ac mi ddiflannais allan i'r cowt drwy'r mwg.'

Hwnnw oedd y tân cyntaf iddo'i gychwyn, ond nid yr olaf.
O na, mi oedd yr ail dân yn un llawer mwy, ac mi wnaeth
lawer mwy o fès, a chreu mwy o helbul. Roedd y tân yn un
digon mawr i stopio'r traffig ar y lôn bost hyd yn oed.

Mi oedd Nain yn ddynes fusnes yn gynnar iawn yn ei
bywyd. Mater o raid, byddwn i'n meddwl. Roedd ei gŵr, tad
fy nhad a'm taid inna, yn deiliwr, ac yn adnabyddus drwy'r
sir am ei waith. Roedd ei weithdy rhyw ddau gan llath o'r
tŷ, a thra byddai Taid yn gwerthu siwtiau o'i waith ei hun,
byddai Nain yn gwerthu llefrith, wyau ac ambell beth arall.
Mi wn hefyd, yn ôl fy nhad, iddi werthu sigaréts a matsys, a
dyna ble mae hanes yr ail dân yn dechrau.

Fel hyn y byddai Nhad yn dweud y stori wrthan ni,

pantomeim o stori a pherfformiad, yn dechrau bron yr un peth bob tro...

'Ydw i 'di deud wrthat ti hanas y tân mawr?'

Finna ar adegau yn dweud yr hyn a glywais yn Neuadd y Penrhyn, Bangor, pan oedd yn recordio rhaglenni *Ciw Charles*, ac i ffwrdd â Nhad efo'i stori.

'Mi ddaeth Lela, merch oedd yn byw wrth ymyl tŷ ni, i brynu matsys gan fy mam yn Penffordd, ac fel o'n i'n ei gweld hi'n dŵad allan o'r tŷ efo'r matsys mi redis ati a gofyn am fatsien neu ddwy. Isio gwneud tân bach oeddwn i, er mwyn i mi fedru cynhesu fy nwylo.

'Mi ffendis gornel efo dipyn go dda o gysgod, mewn lle cul rhwng y cwt ieir... a'r das wair, ac o'n i'n meddwl ei fod yn lle perffaith i wneud tân bach. Ddeuai 'na ddim gwynt i'r lle cysgodol yma ac mi fydda gin i dân bach am yn hir iawn. Ond be ddigwyddodd? Mi gydiodd y tân bach mewn darn o'r das fawr. Mi welais a theimlo fflama wrth fy nhraed a'r rheiny mewn eiliadau yn codi i fyny ac i fyny. Mi sylweddolis i'n syth bo rhaid i mi neud rhwbath i ddiffodd y tân. Dyma fi'n trio ei ddiffodd... efo 'nghap ysgol, ond yn od iawn, po fwya o'n i'n fflapio'r cap, mwya yn y byd roedd y fflamau'n tyfu, a lledaenu. Be wnawn i mewn sefyllfa o'r fath, cap yn fy llaw a hanner y das wair, erbyn hyn, yn wenfflam? Roedd rhaid i mi wneud rhwbath, yn toedd, mewn argyfwng o'r fath. Doedd dim ond un peth call i'w wneud... rhedag oddi yno, ac mi es heb feddwl ddwywaith. Mi neidiais dros ben wal gerrig, oedd yn amhosib ei neidio mewn amgylchiadau cyffredin, yna neidio eto dros y clawdd i gae'r Houwal, ac ista ar fy nghwrcwd, ac ista buo fi'n gwylio o bell pobol erill yn trio diffodd y tân.

'Gweld Nhad, oedd yn trwsio to'r tŷ llaeth efo Evan Parry Castell, yn dychryn ac yn neidio oddi ar y to i'r cae, a rhedag nerth ei allu at y das wair fawr, oedd yn mynd yn llai gyda phob fflam. Mwg? Welwyd erioed gymaint o fwg. Roedd motos, ceir, ceffylau a throliau oedd yn teithio ar y lôn bost gerllaw yn stopio oherwydd y mwg, ac wedyn rhai yn neidio o'u cerbydau i fynd i helpu... a finna'n dal i ista. Mi ddechreuodd rhai gario dŵr mewn bwcedi o bwll dŵr chwiaid oedd wrth ymyl y das, nes i hwnnw fynd yn sych, a finna'n dal i ista. Roedd William Jones Tŷ Rhos ar ben y das yn chwysu slecs ac yn ymlafnio â chyllell wair yng nghanol y mwg i geisio arbed peth o'r das, a finna'n dal i ista.

'Doedd hi ddim yn arferiad yn ein tŷ ni i guro neu i'n taro ni'r plant, ond mi ges yfflwn o stid tro yma, nid gan fy rhieni ond gan fy modryb. Anti Llygada Mawr oeddan ni'n ei galw hi, gwraig Evan Parry Castell, sef y dyn oedd ar y to efo Nhad, ac a fu bron colli ei fywyd ddwywaith – yn gynta wrth neidio i lawr o ben to'r tŷ llaeth, ac wedyn wrth drio diffodd y tân.

'Mi oedd Anti Llygada Mawr yn dŵad i'n tŷ ni'n amal, yn licio ista ar gornal y soffa, ac mi oedd hi'n beryg pan fydda rhywun yn ista yn ei lle hi pan ddeuai i'r tŷ. Mi fydda'n rhoi ei phen rownd cornel y drws a gwneud llygada mawr.

'Wedi i'r tân ddofi dipyn, ac i'r mwg gilio, mi glywais lais angylaidd llawn cariad a chydymdeimlad yn agosáu ataf, a finna'n dal i ista.

"Lle'r wyt ti, 'ngwas i? Ty'd, yli, nawn ni ddim byd i ti." Llais Anti Llygada Mawr. Do'n i ddim yn siŵr ar y dechra oedd hi'n saff codi. "Ty'd rŵan, 'y ngwas i," medda hi eto, a dwi ddim yn ama nad oedd maddeuant yn ei llais y tro yma.

'Mi godais, a dyma Anti Llygada Mawr yn rhuthro ataf, fel petai'n falch o'm gweld. Mi redais inna ati hitha; gwasgodd fi'n dynn yn ei mynwes, ond buan y sylweddolais ei bod yn fy nal yn ei mynwes efo un llaw, ac yn chwipio 'mhen ôl efo'r chwip y bydda Mam yn 'i hiwsio i roi trefn ar y ferlan efo'r llall, a 'nharo efo pob sill.

"Ti ddech-reu-odd y tân yn-a, ti yn gwb-od pa mor ber-yg yd-i tân. Bu-o bron i mi goll-i 'y ngŵr yn y fflam-au, y diawl bach. Sbia fan-'cw, sdim byd ar ôl.'"

Fel dwi wedi dweud lawer gwaith, doedd dim yn rhoi mwy o bleser i Nhad na byw a bod efo cymeriadau go iawn, heblaw efallai hel atgofion amdanynt.

Un o'r amrywiol rai oedd Now Glan'rafon. Roedd Now yn hen ddyn pan oedd yn yr ysgol gynradd, ac yn hen ffasiwn iawn yn ei ffordd – yn ei gerddediad, yn ei siarad ac yn ei ffordd o fyw yn gyffredinol. Now oedd un o ffrindiau gorau Nhad. Wn i ddim wnaeth fy nhad gymryd mantais o ddiniweidrwydd Now, ond pan oedd o wedi penderfynu codi stêm Meri Jên, yna Now oedd yr union foi i'w helpu. Na, nid merch neu ddynes o'r pentra oedd Meri Jên, ond tracsion stêm. Mi oedd y peiriannau mawr fel Meri Jên yn cael eu defnyddio i bwrpasau amrywiol ar ffermydd: i dorri gwair, i gasglu'r ŷd a hyd yn oed i aredig. Câi ei defnyddio fel *steam roller* i wasgu'r tarmac ar y lonydd, a gweithiai hefyd fel trên stêm.

Mi oedd gan Gyngor Sir Fôn storfa ym Modffordd flynyddoedd yn ôl, ac yn y buarth roedd peiriant mawr pedair olwyn, sef y tracsion stêm, a fyddai'n tynnu a chario pob math o bethau o le i le, ac mi'i galwyd o, am ryw reswm, yn 'Meri Jên'.

Dyma Nhad, meddai o, yn cael ei demtio gan yr ysfa am dân fyddai'n ei feddiannu o bryd i'w gilydd. Pan fyddai Nhad yn ogleuo paraffîn, oel neu betrol byddai pawb a phopeth o'i gwmpas mewn peryg, a dyna ddigwyddodd bryd hynny. Roedd y gwynt wedi chwythu ogla storfa'r Cyngor i'w ffroenau ac mi ddaeth ysbryd gwallgof am dân i'w reoli'n llwyr. Perswadiodd Now druan i'w helpu. Fedra Now ddim gwrthod tasa fo isio. Wyddai o ddim yn iawn beth roedd wedi cytuno i'w wneud, ond roedd Nhad wedi creu drama fawr o'r hyn a allai ddigwydd, ac wedi perswadio Now mai dim ond canmoliaeth i'r ddau fyddai canlyniad tanio'r Meri Jên.

Fe daniwyd yr hen Feri efo llond ei bol o eithin, ac mi gafwyd tân, a'r tân bach yn mynd yn dân mawr. Doedd fy nhad ddim yn gwybod bod Meri Jên wedi bod yn sefyll yn segur yn y buarth am wythnos neu fwy oherwydd ei bod yn gollwng oel oddi tani, ac mi ledaenodd y tân oddi tani ac o'i chwmpas. O fewn eiliadau mi gydiodd y tân yn y casgenni tar oedd yn agos ati, a'r rheiny'n clecian fel gynnau mawr nes codi braw ar bobol y fro. Bu'n rhaid cael y frigâd dân i ddiffodd y fflamau, ond erbyn i'r frigâd gyrraedd roedd Nhad a Now yn gorwedd ar eu boliau yn nhas Graig. Gan ei bod yn wyliau'r haf, buo'n rhaid iddyn nhw aros yno drwy'r dydd nes iddi dywyllu.

'Dwi am ei throi hi rŵan,' meddai Now, fatha hen ddyn 'di blino 'rôl gweddi go hir yn y seiat.

Cael ei hel i'w wely heb swper oedd tynged fy nhad y noson honno, cosb oedd yn llawer gwaeth na'r chwip din wrth iddo orfod gwrando o'r llofft ar y plant yn gwledda. Siŵr o fod i'r plant wneud mwy o sŵn na'r arfer wrth fwyta'r noson honno, gan ganmol y bwyd ar dop eu lleisiau: 'Ew, ma'r tatw newydd a'r grefi nionyn yn neis heno, Mam.' Ond yng nghanol yr helbul yma, a'r llwgu yn y gwely, mi ddaeth achubiaeth wrth i Yncl Emrys, y brawd hynaf, ddod i'r llofft efo dwy frechdan a'r tatws newydd a'r menyn yn drwchus rhyngddynt. Wedi sleifio oddi wrth y bwrdd roedd o. Sôn am borthi'r ddafad ddu.

4

CHARLES WILLIAMS YR ANOGWR

CREODD CHARLES WILLIAMS lawer o ddarluniau yn llawn
gobaith ym meddyliau unigolion a chynulleidfaoedd,
darluniau y gall cynulleidfaoedd heddiw, chwarter canrif
wedi'i farwolaeth, eu mwynhau a'u gwerthfawrogi. Mae'n
bwysig cofio nad oedd yn ddyn hunanol. Nid jyst dyn y teledu
a'r cyfryngau oedd o; yn hytrach, gwyddai fod yn rhaid iddo
werthfawrogi ei ddawn a'i rhannu.

Mi greodd yr athrylith o 4, Bronheulog, Bodffordd, obaith
ym meddyliau actorion ifanc a gawsai gam ar lwyfan, mewn
stiwdio, mewn theatr neu eisteddfod. Plannodd hadau hyder
yn ddwfn yn isymwybod actorion swil, yr actorion hynny
sy'n dal i wneud bywoliaeth dda ar y cyfryngau heddiw. Heb
enwi neb, mi fyddai ambell actor wedi rhoi'r ffidil yn y to 'rôl
crio mewn ymarfer yn dilyn geiriau gorfeirniadol gan hen
ben bach hunanbwysig o gynhyrchydd, a'i eiriau'n adleisio
yn eu clustiau am yn hir iawn.

Yn y gyfrol goffa a gyhoeddwyd yn 1990 gan fy mrawd
Wili ar ran y teulu, mi gawn glywed am yr anogaeth roddodd
fy nhad i gymaint o actorion a pherfformwyr:

Fe aeth wyth mlynedd heibio cyn i mi ddod i adnabod Charles
yn iawn, a minnau wedi cael gwahoddiad i ymuno â chriw
enwog 'Cwmderi'... 'Roedd pawb yn hynod groesawgar, a phan
ddaeth yn amser paned, 'doedd neb ond Charles a minnau
yn yr ystafell werdd, fel y gelwid y 'stafell lle'r oedd y tegell.
'Gwranda,' medda Charles, 'fedra i ddim dysgu iti sut ma'

actio... ond os wyt ti isio gwrando arna i, mi ddysgai'r tricia i
ti.'

Gari Williams

Chwith meddwl na fedra'i byth eto daro i mewn i'w ystafell wisgo
i ofyn ei farn ar ble yn union ddylai'r pwyslais fod. O, oedd, mi
'roedd Charles yn awyddus i helpu bob amser, ac mi 'roedd gen i
fwy o ffydd yn ei glust fain a'i farn o na bron neb arall.

Nesta Harris

Byddai Charles yn ddygn wrthi yn wastad yn dysgu'i waith
yn drwyadl, ac yn barod bob amser â'i gymwynas a'i help i
actorion ifanc ar drothwy eu gyrfa.

Rachel Thomas

Roedd Charles bob amser yn onest ei farn ac yn ddi-flewyn ar
dafod pan oedd angen hynny... Ni bu'n fyr o alw cyfarwyddwyr
i gyfri am gam ddehongli ar adegau chwaith, ond 'roedd o bob
amser yn barod iawn ei werthfawrogiad o waith graenus ac
mae wedi rhoi gair ar bapur neu godi'r ffôn i amryw o'i gyd-
berfformwyr i gydnabod hynny.

J O Roberts

Chafodd neb gyngor gan Charles nad oedd o ar ei ennill.

Ifan Roberts

Ar y llwyfan, y radio, a'r teledu byddai'n helpu'r rhai dibrofiad,
yn sibrwd ambell gyngor, ac yn cynnal breichiau. Unwaith y
magodd brofiad ei hun, bu'n hynod gymwynasgar a hael wrth
ei rannu â rhai oedd yn dechrau.

Wilbert Lloyd Roberts

Mi deimlodd John Pierce Jones wres cyfeillgarwch fy
nhad o'i eiriau cyntaf. Ymarfer drama *Twm o'r Nant* yng
nghapel Tabernacl, Bangor oedd y ddau. 'Charles ydw i,
pwy 'dach chi, plis?' Wedi i John ddweud ei fod yn dod
o Niwbwrch, ymateb byr, bachog Charles oedd, 'Bobol o
Niwbwrch... mewn lle fel hyn!'

'Gan mai *Twm o'r Nant* oedd fy nhaith gyntaf,' meddai John, "roeddwn yn hollol ddi-brofiad. Mae'n siŵr mod i'n stiff fel procer ar y llwyfan, yn fy symudiadau yn ogystal â'r llefaru. 'Roedd Charles yno bob amser gyda "Gwranda, paid â gneud fel'na, tria hi fel hyn yli," a rhoi y rhesyma pam y dyliwn bwysleisio a symud yn wahanol. Yna'r noson wedyn gwneud fel roedd Charles wedi awgrymu, a gweld fod popeth yn gweithio'n well. A Charles yn fy nisgwyl oddi ar y llwyfan a dweud, "Da, da iawn heno ylwch."'

Bu'r ddau'n ffrindiau mawr i'r diwedd, a Nhad yn dal i'w annog a'i ganmol a John yn dal i wrando a gwerthfawrogi. Mi ddangoswyd y cyfeillgarwch hwnnw pan oedd fy nhad ar ei wely angau, yn methu siarad bron, a'r canser yn ei wddw bron â'i ladd. Bu John fel meddyg a gweinidog iddo. Doedd neb yn galw'n amlach, ac mi oedd John yn un o'r bobol brin roedd Nhad yn falch o'u gweld yn ei salwch.

Yn ôl fy niweddar chwaer Glenys, a oedd yn byw ochor arall y pentra i dŷ Nhad, roedd hi'n gwybod pan fyddai John ar ymweliad cyn iddi agor drws y tŷ, gan fod y chwerthin i'w glywed drwy'r pentra, meddai hi. Wedyn, yn null a wit Dad, dywedai wrthyn nhw, 'John Bŵts, ma 'na ormod o sŵn o beth diawch yn dŵad o'r llofft 'ma heddiw. Mae eroplêns Fali yn methu landio!'

Roedd Glenys yn cofio yr un stŵr a'r un chwerthin pan fyddai John yn galw acw i weld Mam pan oedd hitha'n sâl.

Dwi'n falch o ddweud bod John Pierce Jones yn un o fy ffrindiau gorau inna heddiw. 'Dan ni wedi cael, ac yn dal i gael, llawer iawn, iawn o hwyl. Mi fyddai'n braf ei weld yn amlach, ond mae o mor brysur, a galw mawr amdano o hyd, diolch byth.

Mi fydd John yn edrych yn ôl ar ei fywyd ym myd actio efo fi a dweud, 'Mae gin i lot o le i ddiolch i dy dad.'

5

CHARLES WILLIAMS, DYN EI BENTRA

MI OEDD POBOL Cymru wedi clywed ac wedi dŵad i nabod fy nhad heb erioed ei weld. Dyma'r dyn digri oedd wedi'u cadw'n chwerthin yn hapus drwy gyfnod y rhyfel ac ar ôl hynny. Doedd fy nhad, hyd at ei fedd, ddim yn licio gormod o sylw, a doedd o erioed yn hoffi'r statws 'seren radio a theledu'. Mae'r hunangofiant *Wel Dyma Fo* yn brawf o hynny, gan fod 108 o'r tudalennau yn hel atgofion am ei blentyndod, pobol Bodffordd a ffermio, a dim ond 28 tudalen am ei waith ar y radio a theledu. Pobol Bodffordd oedd ei fywyd, y werin oedd ei deulu a'i ffrindiau.

Fedra fo ddim bod yn bwysig tasa fo'n trio, ond rhaid i mi ddweud hyn: yn rhyfedd iawn, drwy berswâd Wilbert Lloyd Roberts, mi fentrodd allan i ddyfroedd dyfnion, ymhell o'r lan a chraig gadarn, gyfforddus y dyn cyffredin, a hynny mewn un gyfres ddrama yn arbennig. Cyfres oedd honno a aeth ag o i fyd a oedd nid yn unig yn wahanol, ond yn hollol newydd a hollol ddiarth iddo. Fu erioed wahaniaeth mor fawr rhwng actor a chymeriad.

'Mostyn' oedd y cymeriad a *Mostyn a'r Cryman Bach* oedd y gyfres. Cyfreithiwr cyfoethog yn byw yn dda oedd Mr Mostyn, sef cymeriad fy nhad. Bryd hynny roedd Nhad newydd gael ei ryddhau o'i gytundeb cyfyng gan y BBC, cytundeb oedd yn ei gaethiwo i weithio ar y radio'n unig. Ni châi dderbyn gwaith ar y teledu na chwaith gan gwmni darlledu ar wahân i'r BBC, felly byddai'n rhaid iddo barhau i weithio ar y fferm i ychwanegu at y pres bach a gâi gan y Gorfforaeth.

Pan ddaeth y cais iddo bortreadu'r cyfreithiwr, a oedd rhyw bymtheg haen yn uwch ei statws cymdeithasol na Chals, bu'n rhaid iddo feddwl yn hir cyn derbyn. Dwi'n ei gofio fo'n trafod y cymeriad am y tro cyntaf efo Mam. Cyn hynny roedd pob cymeriad y cawsai'r cyfle i'w bortreadu wedi bod yn werinol. Mam yn dweud, 'Ydach chi, Chals, 'di gweld sut ma twrna yn sefyll, cerddad a thagu?'

Mi oedd carthu tail buchod Cerrig Duon dipyn yn wahanol i garthu celwyddau troseddwyr yn y llys, ac roedd aredig a phalu'r pridd ar y fferm yn wahanol i ddadlau o flaen y barnwr. Rhaid oedd cael dwylo glân a meddal i un, a dwylo caled a budur i'r llall. Dyna'r peth cyntaf ddywedodd o wrth y cynhyrchydd: 'O diawch, peidiwch â bod mor wirion, ddyn! Fedra i ddim bod yn gyfreithiwr efo'r dwylo yma! Sbïwch arnyn nhw yn graciau a baw oes rhwng y cracia. Fuodd 'na ddim cyfreithiwr erioed mewn llys yn drewi o faw moch.' Ie, cymeriad mor wahanol i gymeriad Nhad, choeliech chi ddim.

Roedd Mr Mostyn yn ddyn trwsiadus a glân, yn edrych yn bwysig, barf gafr fechan ar ei ên ac yn gwisgo hanner sbectol. Byddai bob amser yn cario ffon wedi'i haddurno ag arian. Roedd hwn yn gymeriad swâf, soffistigedig a diwylliedig.

'Wilbert,' meddai Nhad, 'sud 'sa ti'n meddwl 'sa pobol y pentra 'cw yn sbio arna i taswn i'n cerddad i Langefni ar ddiwrnod sêl yn gwisgo fel hyn?'

Yn y diwedd cafodd ei berswadio y byddai'n werth iddo ymgymryd â'r dasg ac y byddai actorion eraill yn elwa o'i weld fel cymeriad hollol wahanol i'r arfer.

Bu'r adran goluro yng Nghaerdydd yn gweithio'n galed yn ceisio cuddio'r creithiau a'r baw ar ei ddwylo ac mi roddwyd hylif iddo fynd adra efo fo, gyda'r gorchymyn i'w rwbio ar ei ddwylo bob bore a nos. Yn ogystal, byddai'n rhaid iddo wisgo menig gwynion drwy'r amser, beth bynnag y byddai'n ei wneud ar y fferm.

Pan ddaeth hi'n bryd iddyn nhw ddechrau ffilmio, doedd dim newid o gwbwl yn nwylo'r gwas fferm oedd i fod yn gyfreithiwr parchus. Ei esgus oedd, 'Wel, mi faswn i'n edrach yn wirion yn torri clawdd efo menig gwynion, yn baswn i?' Yn sicr, nid dyn hunanbwysig efo meddwl mawr ohono'i hun oedd y pentrefwr yma. Dyn ei bentra oedd o, a'r pentra wedi'i wisgo amdano.

Ymhell cyn iddo ddod yn enwog roedd gan blant y pentra feddwl y byd ohono fo a Mam. 'Anti Jini' oedd Mam ac 'Yncl Chals' oedd Dad i bawb. Byddai Nhad bob amser yn barod i siarad efo plant a phobol ifanc y pentra, beth bynnag arall y byddai'n ei wneud. Hyd yn oed yn y dyddiau hyn, er nad ydw i'n mynd i Fodffordd mor aml ag y leciwn i, mae 'na oedolion oedd yn blant bach yr un adeg â fi'n dweud, 'Ti'n cofio'r hwyl oeddan ni'n 'i gael yn tŷ chi efo Yncl Chals ac Anti Jini? 'Sa ddim byd fel yna yma heddiw, 'sdi.'

Pan fyddai o'n medru helpu, fyddai 'na neb yn mynd yn brin, ac mi âi 'na lot o bobol yn brin bryd hynny – yn brin o'r pethau bach. Mynd yn brin o bethau mawr moethus maen nhw heddiw. Oedd, roedd o'n ddyn gonest a chydwybodol. Rhoddai fwyd a diod i blant y pentra ar noson oer yn y gaeaf, a hynny dan chwerthin. Daliodd i gynnau'r gannwyll oedd bron 'di diffodd ar ambell aelwyd, a goleuo'r gannwyll â thân ei gariad. Hynny gan ddyn oedd wedi bod yn serennu ar y teledu y noson cynt. Mynnai na fyddai unrhyw gam i bobol ei fro, pwy bynnag oeddan nhw. Eto, fyddech chi byth yn clywed Charles Williams yr actor yn sôn gair am hyn wrth neb.

Wrth gerdded i fyny tuag adra byddai'n rhaid iddo basio heibio'r ysgol a'r tai cyngor. Hyd yn oed pan fyddai o wedi blino 'rôl diwrnod caled o waith ar y fferm neu yn y stiwdio, byddai'r mŵd yn newid wrth iddo gerdded drwy bentra Bodffordd. Byddai Charles y ffarmwr, yr actor a'r perfformiwr yn ei elfen. Oedd, roedd o'n ddyn hapus wrth odro a charthu ar y fferm, a'r un mor hapus ar lwyfan ac mewn stiwdio radio a theledu, ond wrth gyboli efo'i bobol ei hun, yn cerdded i fyny ac i lawr y stryd, roedd Charles hapusaf. Yno câi fod yn fo ei hun.

Byddai lliw ei wep yn newid, mwy o sbonc yn ei gerddediad, a byddai ei freichiau'n chwifio fel tasan nhw wedi'u gwneud o lastig band wrth iddo drio gwneud i'r plant chwerthin. Byddai'r plant yn gweiddi ei enw o bob cyfeiriad a byddai gan bawb ei gwestiwn: 'Lle 'dach chi 'di bod, Yncl Chals?' 'Ga'n ni ddŵad i tŷ chi heno i watsiad telifision?' 'Oes 'na bractis côr adrodd heno?' 'Oes 'na gyfarfod capal heno?' 'Ydach chi'n dŵad i'n gweld ni'n chwara ffwtbol heno?'

Glana chwerthin gyda'r nos wedyn fyddai Charles wrth agor y drws i ryw bump ar hugain o blant y pentra gael dŵad i'r tŷ a chael mwynhau gwylio'r telifision. Byddai Dad yn dweud wrthyn nhw bod y Lone Ranger ar y teledu yn hwyrach y noson honno, a bod ei geffyl o 'di cyrraedd ac yn cael bwyd yn y sied, a bod Tonto ar ben y to...

Cofio fy ffrind, y diweddar Brian Rowlands (Itshi Bŵ), yn dŵad i'r drws cefn pan oedd o tua chwe blwydd oed a gofyn, 'Faint o'r gloch ma *Wagon Train* heno, Yncl Chals?' Nhad yn ateb drwy ddweud, 'Mae hi 'di mynd, Itshi bach. Yli, mi ddoth yn gynt na'r arfar am 'i bod hi'n noson braf, ac mi a'th, 'sdi, ac mi a'th pawb arni a mynd adra.'

Roedd o 'di gwirioni ei ben efo cymuned Bodffordd a'i phobol; doedd unman ar wyneb daear yn well. Mi ddywedodd sawl tro fod mynd i Gaerdydd a Birmingham i weithio yn y dyddiau cynnar yn fraint ac yn anrhydedd iddo, ond roedd cael dŵad adra i Fodffordd gymaint yn fwy o fraint.

Hyd y diwedd, dyn bach cyffredin oedd Chals, a brysiai i ddweud iddo gael ei eni a'i fagu mewn tyddyn bychan dinod, dwy stafell gyda thri neu bedwar ohonyn nhw'n cysgu yn yr un gwely a phot o dan y gwely i sbario cerdded i waelod yr ardd ar noson dywyll, oer. Doedd dim *mod cons* y dyddiau hynny.

Mi fagodd o a Mam chwech o blant mewn tŷ cyngor, heb drydan, dŵr na char. Eto i gyd, wnaeth o ddim ystyried gadael Bodffordd na Sir Fôn i fyw er mwyn bod yn nes i'w waith, oherwydd ei gariad angerddol, diamod at ei deulu a'i bentra.

Byddai'n rhoi oriau lawer i hyfforddi plant a phobol ifanc i ddarllen a dysgu barddoniaeth. Pan oedd yn Arolygwr ysgol Sul y Gad, roedd yn un o'r rhai fyddai'n hyfforddi hanner cant o blant, ac am y tro cyntaf yn hanes y capel, enillwyd bryd hynny Gwpan Arian y Gylchwyl.

Roedd fel petai digon o amser ganddo, a hynny yng nghanol y prysurdeb y tu allan i'r pentra. 'Rhaid gwneud amser,' oedd ei ddywediad mawr. Treuliodd oriau lawer yn y Gymdeithas Undebol leol, ac yn y gymdeithas hon byddai ganddo nosweithiau drama bob gaeaf. Er mwyn rhoi cyfle i bawb oedd isio actio, cynhyrchai dair drama fer.

Er iddo ddysgu pawb oedd am gael eu dysgu i adrodd, ei nod pennaf oedd iddynt ddysgu darllen a dysgu barddoniaeth, a dysgu pwy oedd y beirdd. Cyn y wers mi fyddai'n rhoi cefndir y darn, esbonio beth roedd y bardd yn ceisio'i gyfleu, ac os oedd neges yn y darn a fyddai o fudd i ni, mi fyddai'n esbonio hynny hefyd. Roedd ganddo, yn ôl Wilbert Lloyd Roberts, 'deimlad greddfol at sŵn gair, ac at ei le mewn cymal, a lle'r cymal mewn brawddeg, a'r frawddeg mewn paragraff...'

Cafodd lwyddiant rhyfeddol yn dysgu Ellis Wyn Roberts, sydd ei hun bellach yn hyfforddi a beirniadu. Dyma fel mae Ellis yn cofio'r cyfnod:

Anfonodd yr athrawes yn Ysgol Bodffordd fi ato i Penlon, ei gartref bryd hynny, i gael dysgu adrodd darn i'w berfformio yn y cyngerdd Gŵyl Ddewi. Dyna'r tro cyntaf i mi fynd ato. Aeth amser heibio a minnau yn dal i gystadlu ychydig yn lleol. Yna daeth atom i Bodwrog i ddysgu'r cwmni drama, a dyna mewn gwirionedd oedd cychwyn pethau i mi. Dechreuais fynd ato'n gyson i gael fy nysgu a bûm gydag o am flynyddoedd. Mentro i Eisteddfod yr Urdd 1956 a chael ail o dan bump ar hugain oed. Yn Eisteddfod Môn 1955 penderfynon ni ein bod ein dau i gystadlu ar y ddeuawd adrodd, rhywbeth newydd yr adeg hynny. Darn o *Henllys Fawr* am Eos y Pentan. Buom ein dau yn perfformio'r ddeuawd honno mewn Noson Lawen ym Mhwllheli hefyd a gwneud llawer o sgetsys efo'n gilydd.

Enillais nifer fawr o wobrau o dan ei gyfarwyddyd: ail yn Eisteddfod Genedlaethol Glyn Ebwy 1958 efo 40 yn cystadlu. Y wobr gyntaf yn Eisteddfod Genedlaethol Caernarfon 1959 efo 72 yn cystadlu, a chyntaf hefyd yn Eisteddfod Genedlaethol Bangor 1971 efo dros 40 yno yn y rhagbrawf. Enillais yn Eisteddfod Môn nifer o weithiau. Credaf mai fi oedd yr unig un iddo'i hyfforddi i ennill gwobrau yn y Genedlaethol.

Cofiaf yn Eisteddfod Genedlaethol Aberdâr i mi gystadlu gyda'r Parti Meibion, sef Parti'r Fron, o dan ei hyfforddiant. Ar ôl bod ar y llwyfan ac ennill y drydedd wobr, cerdded ar y cae ac un o'r beirniaid yn dod atom gan ei fod yn adnabod Charles. Yntau'n gofyn iddo beth roedd yn ei wneud yno. Charles yn ateb mai fo oedd wedi hyfforddi parti'r hogia. Hwnnw wedi synnu ac yn dweud wrtho, 'Charles bach, pam na faset ti wedi deud wrtha i?' Charles yn ateb, 'Na, nid fel yna y bydda i'n hoffi ennill.' Ia, parti yn dod yn ail fuon ni bob tro ar ôl hynny!

Roedd gan Charles feddwl mawr o'i bentref. Cofio cynnal Eisteddfod Môn yma ym Modffordd yn y flwyddyn 1988 a'i galw yn Eisteddfod Môn Bro'r Frogwy gan fod Bodwrog a Llangwyllog yn rhan ohoni. Gwrthododd Charles wneud dim i'w chefnogi, am mai Eisteddfod Môn Bodffordd y dylai ei henw fod yn ei farn o. Hyfforddai hefyd dri chôr adrodd, ac ymddangosodd dau ohonynt sawl gwaith ar lwyfan y Genedlaethol, a hynny yn ystod yr un cyfnod. Wrth gwrs, cododd barti Noson Lawen ym Modffordd. Hwn oedd y parti roeddan ni, blant y pentra, yn sefyll y tu allan i ddrws festri capal Gad am hir iawn cyn i'r drysau agor. A bu'r parti'n teithio ymhell ac agos drwy'r Gogledd. Un waith cafwyd gwahoddiad i berfformio yn Llundain, hyd yn oed.

O'r dyddiau cynnar pan oedd yn blentyn, roedd â'i fryd ar fynd i actio, er na wnaeth o erioed ddychmygu na meddwl y byddai o'n actor proffesiynol. Doedd ei nod, bryd hynny, yn ddim byd mwy na chymryd rhan yn nramâu'r pentra a'r capel, a hynny gan amlaf i godi arian i wahanol achosion. Adeg hynny byddai ambell weinidog yn cymryd gwir ddiddordeb yn y ddrama.

Y Parch. John Evans oedd gweinidog capel Gad pan ddechreuodd Nhad actio ac roedd gan Mr Evans ddiddordeb mawr yn y ddrama. Mi gymerodd Nhad o dan ei adain a rhoi rhwydd hynt iddo dorri ei gŵys ei hun wrth actio, gan fod ganddo ddigon o hyder yn ei allu. Yn ddiweddarach buon nhw'n cydgynhyrchu, cyn iddo drosglwyddo'r dasg o gynhyrchu i Nhad.

Gwn fod gan fy nhad dri chwmni drama ym Modffordd ac un ym Modwrog – ac efallai fod ganddo fwy. Roedd un o gwmnïau Bodffordd yn cynnwys holl aelodau'r teulu: Dad, Mam, fy mrodyr Wili a Glyn, Yncl Tomi, Yncl Alun (taid Bethan Marlow) ac Yncl Jack (tad Maldwyn John), ac roedd Yncl Emrys yn rheolwr llwyfan ac yng ngofal y goleuadau a'r llenni. Dyma brawf unwaith eto bod Nhad yn bentrefwr cydwybodol.

Wrth iddo fagu mwy o brofiad mi gynhyrchodd ddramâu megis *Noson o Farrug, Lluest y Bwci, Rhwng Dau Feddwl, Ciwrat yn y Pair, Y Tegell, Pawen y Mwnci* a'r *Darn Arian.* Dwi'n edrych 'nôl rŵan ar ei fywyd ac yn sylweddoli nad gwaith oedd actio iddo, ac nad actio er mwyn gwneud pres mawr a chael sylw a wnaeth. Roedd yn bleser pur. Prawf o hyn yw ei waith a'i ddyfalbarhad gydag amaturiaid ei fro.

Yn niwedd y1930au symudodd Mr J O Jones o Ddinbych i Fôn i swydd ysgrifennydd y Cyngor Gwlad. Yn ôl fy nhad, dyma un o'r digwyddiadau a roddodd hwb bellach i'w yrfa fel actor, er na wyddai hynny ar y pryd.

Yn nechrau'r 1940au sefydlodd Mr Jones Ŵyl Ddrama Môn. Doedd dim rhaid gofyn ddwywaith i Chals fod yn rhan o'r digwyddiad. Dyma gyfle gwych iddo fo, y teulu a phobol Bodffordd a ddangosodd gymaint o ddiddordeb yn y ddrama gael llwyfan mwy, a chynulleidfa ehangach. Deuai cwmnïau drama o bob rhan o Gymru i'r ŵyl ddrama yn Llangefni.

Mi wnaeth tri chwmni o Fodffordd gystadlu: Cwmni'r Merched, Cwmni'r Ieuenctid a Chwmni Agored. Dywedodd Nhad wrtha i, 'Dyna chdi lwcus o'n i. Mi oedd hyn yn wyrth ar y pryd, wsti, ac mi ddudis i wrth bawb,' meddai o'n falch. 'Os nad oedd cwmnïau drama Bodffordd yn medru mynd allan i'r byd mawr [mynd i lawr i dde Cymru roedd o'n ei feddwl], deuai'r ŵyl hon â'r byd mawr aton ni.'

Er mai bwriad Charles oedd rhoi pobol Bodffordd ar fap perfformwyr amatur Cymru, ac ennill gwobrau, Charles ei hun ddaeth i amlygrwydd. Er bod actorion ardderchog yn Llangefni a'r cylch, mi lwyddodd J O Jones i berswadio Charles i ymuno â chwmni y Genhinen, sef cwmni teithiol o dan drefniant Cyngor Gwasanaethau Deheudir Cymru.

Y ddrama oedd *Pobol yr Ymylon* gan Idwal Jones, gyda Cynan yn cynhyrchu. Fedra fo ddim cael gwell.

Mae Nhad 'di dweud y stori wrth lawer. 'Ol diawch, mi ddaeth ar adag anodd ar y diain. Dim ond dau ddeg wyth o'n i, ac wedi cael fy ngwneud yn brif hwsmon ar ffarm Frogwy Fawr, a phump o weision o dana i. Dyma JO yn dŵad ata i a deud bod Cynan 'di gofyn i mi ymuno â'i gwmni fo... "Ol diawch," medda fi wrth JO, "tydi hi'n dymor yr ŷd arnon ni? Sbia fan'cw, ma 'na lond cae o ŷd isio'i gario, cyn daw hi'n law."'

Penderfynu mynd wnaeth o, gan obeithio y byddai'r pum gwas arall yn medru gwneud y gwaith hebddo. Ond bu ymateb rhai pobl ar yr ynys i'w benderfyniad i ymuno â'r cwmni drama yn un aflan a gwenwynig. Pennawd *Yr Herald Gymraeg* ar yr 17eg o Awst, 1943 oedd 'Chware Drama ynte Codi Bwyd?' Eto, rwy'n falch ryfeddol o ddweud, er bod llythyrau cas iawn yn y papurau, mai mynd wnaeth Charles, a llwyddo.

Mi ddaeth fy nhad a Cynan yn ffrindiau da, ac mi gefais wybod gan Arwel Jones o Hogia'r Wyddfa fod fy nhad wedi cyflwyno darn o farddoniaeth i'r Hogia, yn llawysgrifen Cynan ei hun. Dywedodd Cynan wrtho am roi'r darn o bapur i'r Hogia a gofyn iddyn nhw drio gwneud rhywbeth efo'r geiriau.

Dyma'r darn hwnnw o farddoniaeth:

From

The Rev. A. E. Jones, C.B.E., D.Litt. (Cynan)
(Welsh Reader of Plays for the Lord Chamberlain),

Penmaen,
Menai Bridge,
Anglesey.

To..

....

....19

Na, meddaf finnau, Duw.
(Awgrymwyd gan ganig Americanaidd)

Tarth ar y gorwel, ac wybren
Gochlin uwchben y byd,
Awelig dyner yn hedeg
Dros donnau euraid ŷd,
A choed y berllan yn plygu
Tan ffrwythau o bob rhyw:
Yr Hydref yw hyn, meddai rhywrai,
Na, meddaf finnau, Duw.

Fel tonnau'r môr ar draethhill
A'r newydd loer yn wan,
Mae dyheadau calon dyn
Yn chwyddo fyth i'r lan
O ddyfnder rhyw eigion cyfrin
Nas plymiwyd gan undyn byw:
A Hiraeth yw hyn, meddai rhywrai;
Na, meddaf finnau, Duw.

41

From

The Rev. A. E. Jones, C.B.E., D.Litt. (Cynan)
(Welsh Reader of Plays for the Lord Chamberlain),

Penmaen,
Menai Bridge,
Anglesey.

To..

....19

Tud. 2

Dylif yr Haleliwia
Ar organ Cymanfa'r Cwm,
Handel yn asio gofaledd
Fiol a thrwmped a drwm,
A'r smaid yn esgyn ac esgyn
Pan ddaw lleisiau'r côr at y clyw:
Ceradoriaeth yw hyn, meddai rhywrai;
Na, meddaf finnau, —Duw.

Mam dros ei phlant a newynodd,
A'r merthyr mewn angau loes,
Socrates a'i cwpan gwenwyn,
A Iesu Grist ar y Groes
A'r miloedd di-nôd a di-enw
Dros eraill a fuant byw:
Hunan-aberth yw hyn, meddai rhywrai,
Na, meddaf finnau, Duw.

Cynan

6

DNA CHARLES WILLIAMS

ROEDD FY NHAD ar ei orau o flaen pobol oedd isio chwerthin, nid jyst llond neuadd neu theatr o bobol oedd 'di dŵad i lenwi seddi er mwyn codi pres at achos da, er ei fod yn hapus bob amser i helpu achosion da. Mi'i gwelais o sawl gwaith yn gwrthod tâl pan fyddai'r cyngerdd yn codi pres at y capel neu achos teilwng arall.

Does dim yn waeth i unrhyw ddigrifwr nag unigolion yn eistedd yn y rhes flaen â'u breichiau wedi'u plygu, a 'dach chi bron yn clywed y breichiau'n dweud, 'Gwna i fi chwerthin, y dyn sy fod yn ddigri.' Ond pan oedd Nhad ar ei orau yn y dyddiau cynnar roedd ganddo'r gallu i ddiffodd unrhyw fygythiad fyddai'n amharu ar ei hwyl a'i dynnu oddi ar ei echel. Roedd ganddo'r gallu rhyfeddaf i fynd i fyd y gwrthwynebwyr hyn a thawelu eu tafodau, ac yn araf bach byddai'n cael y gorau ar y rhain. Yn dilyn ambell ddywediad doniol byddai'r llew rheibus, bygythiol fel oen bach ym mynwes ei fam, yn dawel a bodlon.

Roedd y gallu ganddo i greu jôc allan o bob math o sefyllfaoedd – a dweud y gwir, allan o ddim byd, a hynny ar amrantiad. Wel, roedd yn ymddangos felly, o leiaf. Mi dddywedodd Dr Meredydd Evans, Merêd, fel hyn: 'Y bywiogrwydd meddwl hwn, a'i gwnâi'n barod i drin pob cyfarfod yn ôl awyrgylch y noson a'r lle, oedd ei gryfder arbennig fel arweinydd.'

Wrth i ni fel teulu ddathlu a chofio Dad, dwi'n cael

pyliau o chwerthin na alla i eu rheoli wrth gofio am ei wyneb direidus ac amdano'n gwthio'i dafod a'i ddannedd allan pan fyddai'n diddanu plant efo stori'r mochyn bach. Neu gofio amdano o flaen cynulleidfa a'r rheiny wedi'u hudo ganddo wrth iddo ddisgrifio golygfa hollol swreal yn llys Caernarfon ar fore Llun, ac ynta'n dynwared plisman Gwalchmai yn rhoi adroddiad ar ddigwyddiad yng Nghaergybi y nos Sadwrn cynt, yn ei Saesneg bratiog a'i gyfieithiadau llythrennol:

'Ai was wolcing dawn ddy strît in Holihed at 11.27 in ddy nait, when ai notisd ddy aciwsd. Hi was feri drync, so ai conffronted him, hi dden shawted "Bangor City ffor ddy cyp." Ai told him tw cîp his fois dawn... and his ansyr is writen dawn and handed tw ddy côrt. Dden hi shawted agen ifyn lawder, and ai wornd him ddat iff hi didnt cîp his fois dawn hi wd bi tecyn dawn tw ddy polîs stesion... and his ansyr is writen dawn and handed tw ddy côrt.

'Dden hi got hold of mi and started dansin widd mi in ddy strît. Ai told him iff hi didnt stop, hi wd bi cept in ddy sel ffo 24 awyrs... and his ansyr is writen dawn and handed tw ddy côrt. Dden hi ascd mi what did ai thinc of ddy chansus of Bangor City wining ddy cyp... and mai ansyr is writen dawn and handed tw ddy côrt.'

Wn i ddim faint o straeon Nhad oedd yn wir, ond mi oeddan nhw i gyd yn swnio'n wir. Gawn ni ddyfalu gyda'n gilydd! Gwn nad yw'n bosib, ond ar adegau dwi'n teimlo'n gryf yr hoffwn ail-fyw'r cyfnod euraidd hwnnw pan oedd pob ebychiad ganddo'n cynhyrchu chwerthin afreolus, nid pwffian ymhlith y gynulleidfa, a'r chwerthin hwnnw'n troi'n heintus, a'r haint yn lledaenu o sedd i sedd. Fyddai ei berfformiad ddim yn diflannu a chael ei anghofio y noson honno, o na; yn wir, byddai ei ddywediadau yn parhau yn yr ardal a thu hwnt ar dafod leferydd am wythnosau wedyn. Roedd ei seibiadau cynnil yn mynnu sylw, y disgwyl amyneddgar, tawel am ffrwydrad y gair neu'r llinell nesaf oedd yn mynd i greu diweddglo annisgwyl i'r jôc. Fel pob taniwr jôcs gwerth ei halen, byddai'n creu bonllefau o chwerthin a fyddai neb yn gofyn, 'Be ddudodd o rŵan?' Byddai pob pwyslais yn goleuo'r sefyllfa, pob dynwarediad yn creu cymeriad a phob ansoddair yn adrodd cyfrolau, heb yr un rheg. Dim ond digrifwr o'r radd uchaf sy'n gallu gwneud hynny. Deuai ei ddisgrifiadau o gymeriadau â'r personoliaethau hynny'n hollol gredadwy a byw o flaen y dorf, a hwythau erbyn hynny yn nofio mewn dagrau o chwerthin. Fel hyn roedd hi pan oedd Nhad ar ei orau ac fel hyn yr hoffwn ei gofio. Ydw, dwi wedi byw hyn, ac wedi profi'r wefr, ac yn grediniol bod y chwerthin yn iachusol i'r corff, y meddwl a'r enaid.

Bu criw *Noson Lawen* y BBC yn teithio ledled Cymru, a Nhad fel arfer yn arwain. Dyma a ysgrifennodd y Parch. Huw Jones, un o'r criw, am ei gyfaill:

> Os bûm i'n genfigennus o Charles mewn rhywbeth o gwbl, ei ddawn ddihafal i ddweud stori oedd hwnnw. Yn y Gymraeg, mi ddywedwn i fod ganddo ddawn dweud stori go unigryw... nid yn unig roedd Charles yn fedrus ond 'roedd o'n artist... Lled chwerthiniad 'rŵan ac yn y man yn awgrymu bod rhywbeth yn dod, saib bach yma ac acw yn creu disgwyl am y peth nesaf... Dyna oedd gogoniant... Charles... A'r cyfan mor ddiymdrech ac argyhoeddiadol.

Dweud da; wel, yn wir, disgrifiad perffaith o'r dyn roeddwn i'n ei nabod yn well na neb, ond doedd Huw ddim yn gwybod holl gyfrinachau doniolwch Chals. Pan oedd Charles Williams yn cerdded ar y llwyfan ac yn agor ei geg, mi fyddech yn taeru bod popeth yn digwydd ar y pryd, yn ddigon ffwrdd â hi, popeth yn edrych mor naturiol â dŵr yr afon yn rhedeg. Ond, wrth gwrs, mi fyddai popeth wedi'i ymarfer yn ofalus. Ia, 'diymdrech' ar y llwyfan meddai Huw yn garedig a gonest, ond hynny ar ôl oriau o baratoi. Ymarfer y llinellau, y pwysleisiadau, ac er bod yr amseru'n dod yn reddfol o enaid y digrifwr, roedd rhaid sicrhau bod y geiriau cyn ac ar ôl y saib wedi'u gosod yn eu lle yn iawn. Mi allwch fod yn ddigrifwr a sicrhau bod y geiriau a'r brawddegau i gyd yn iawn, ond lwc owt os nad ydyn nhw yn y llefydd cywir. Dyna wirionedd sgets Morecambe and Wise efo'r pianydd enwog André Previn: 'I am playing all the right notes but not necessarily in the right order.'

Mi fedraf ddweud hyn am fy nhad, ac mi fydd y rhai a'i gwelodd ar ei orau yn gallu cadarnhau hyn: mi oedd y gynulleidfa yng nghledr ei law cyn iddo agor ei geg. Mi oedd ganddo ffordd o gerdded ar y llwyfan, wedyn byddai'n stopio y tu blaen i'r llwyfan a llwyddo, fel petai, i dynnu'r gynulleidfa tuag ato, yn union fel cowboi yn dal llo efo lasŵ. Wedyn byddai'r wên gellweirus yn gadarnhad fod cyfnod o chwerthin ar ddod. Mi oedd o'n gwybod yn union pryd i agor ei geg ac oherwydd ei baratoi manwl mi fedrai amseru llinell ddoniol yn berffaith. Mi ddysgais dros y blynyddoedd bwysigrwydd hyn, a'r ffaith bod amseru yn un o arfau pwysicaf y digrifwr, os nad y pwysicaf oll.

Un arall a'i gwelodd yn perfformio ac a fu'n cydactio ag o sawl gwaith oedd y diweddar Barch. Robin Williams, un o Driawd y Coleg. Ysgrifennodd Robin fel hyn amdano:

'Roedd direidi Charles yn ddyfnach peth na jest deud jôc. Ar ben digrifwch y stori ei hunan, 'roedd yn nefnydd Charles haen arall o ddoniolwch – rhyw hiwmor oedd yn gynhenid ynddo fo'i hunan fel person.

Ni sylweddolai Robin chwaith, er mor agos ydoedd ato, fod Charles wedi rhoi oriau o'i amser i baratoi'r hyn oedd yn ymddangos mor gynhenid. Nonsans, meddai rhai, doedd dim rhaid i Charles ymarfer, siŵr, y cyfan roedd yn rhaid iddo'i wneud oedd agor ei geg ac mi fyddai'r perlau doniol yn llifo, pob gair yn ei le, pob ebychiad, winc a gwên yn blaguro fel rhosyn hardd o flaen ei werthfawrogwyr. Dwi'n cofio unwaith sylwebu ar gêm bêl-droed yn Old Trafford, a hynny wythnos wedi i David Beckham adael y clwb ac ymuno â Real Madrid yn y flwyddyn 2003. Yn ystod y gêm, enillodd Manchester United gic rydd mewn safle delfrydol i Beckham, ond doedd Beckham ddim yno. Gafaelodd y Cymro Ryan Giggs yn y bêl, ei mynwesu a'i gosod i lawr, edrych arni dro ar ôl tro, ei symud rhyw hanner modfedd, edrych arni unwaith eto, yna codi ei ben yn araf ac edrych ar y mur o ddynion tal, cyhyrog o'i flaen, edrych drostynt i weld y gôl-geidwad, camu 'nôl, yna, gan ganolbwyntio ar y man cywir ar y bêl, rhedeg ati, taro'r bêl a honno'n crymanu dros y mur a'r gôl-geidwad i gornel uchaf y rhwyd. Y sylwebyddion o'm cwmpas yn dweud 'That's typical of Giggsy, it comes naturally to him.' Oedd, wrth gwrs, roedd yn dod yn naturiol iddo, roedd ganddo ddawn gynhenid i gicio pêl, ond byddai'n rhaid iddo ymarfer ac ymarfer i berffeithio ei ddawn. Dwi'n falch iawn o fy sylwebaeth ar y gôl yna, gyda'r geiriau 'Pwy sydd angen Beckham pan fo Ryan Giggs yn eich tîm?' Diolch i *Camp Lawn*, mae'r sylwebaeth yn ddiogel yn archif Radio Cymru.

Perffeithydd fel Giggs oedd fy nhad, ac oherwydd ei fod yn berffeithydd medrai greu trwbwl ar adegau. Pan na fyddai pethau'n iawn, neu pe na bai'r props neu'r set ddim yn gweithio fel roeddan nhw i fod, byddai'n gwylltio'n gacwn, nes peri i rai nad oeddan nhw'n ei nabod yn dda ddweud ''Dan ni ddim isio'r Charles Williams 'na yma eto. Mae o'n hen ddyn cas ac annifyr.'

Wna i byth anghofio tra bydda i byw cael blas ar ei dafod finiog, a hynny ar fwy nag un achlysur, ond y gwaethaf oedd ym Mhafiliwn Corwen. Roeddwn, yn niwedd y 1960au a dechrau'r 1970au, yn trefnu llawer iawn o nosweithiau yn creu adloniant. Cefais dair blynedd lwyddiannus iawn yn trefnu nosweithiau 'Sêr Cymru' yn y Majestic, Caernarfon, ac oherwydd y llwyddiant yna penderfynodd Vivian Williams, gitarydd Hogia'r Wyddfa, a finna gynnal nosweithiau mawr eraill. Un o'r rhain oedd y noson arbennig honno yng Nghorwen. Roedd artistiaid rif y gwlith yno, gan gynnwys Tony ac Aloma, Aled Lloyd Davies a Meibion Menlli.

Roedd popeth wedi'i drefnu'n ofalus, trefn y noson wedi'i rhoi i Charles yr arweinydd, y meicroffonau wedi'u gosod ar ffrynt y llwyfan, y weiars a'r uchelseinyddion yn eu lle, y gynulleidfa yn eu seddi a'r llenni ar fin agor. 'Hold on,' meddai Vivs. "Di'r blwming meics ddim ymlaen. Be wnawn ni? Ma'n rhaid cael meics mewn lle mawr fatha hwn.' Bu'n rhaid disgwyl yn hir iawn i'r person sain ddod yn ôl o'r dafarn i'w switsio nhw ymlaen, ac roedd y gynulleidfa'n anniddig iawn ac yn clapio'n araf i ddangos eu hanfodlonrwydd.

Fel y gwyddoch, pan fydd noson yn hwyr yn dechrau, yr arweinydd gaiff y bai, ac roedd Chals yn gwybod hynny. Chafodd Charles Williams ddim yr un croeso gan y gynulleidfa y noson honno ag y byddai'n arfer ei gael, ac yn waeth byth roedd y meicroffonau a'r uchelseinyddion o safon mor wael fel na allai'r gynulleidfa yn y cefn glywed gair. Mi aeth Nhad yn wallgo efo fi. 'Gwranda arna i, rŵan. Ti'n gwrando?' meddai. 'Gwrrrranda! Fydda i ddim yn arwain i ti byth, byth eto,' meddai a'i fochau fatha bitrwt o ardd Ifan Ifas. 'Ti ddim yn ffit hyd yn oed i drefnu Peni Reading yn capal Gad. Cadw dy sioe dwy a dima! Dwi ddim yn dŵad yr holl ffordd i Gorwen i ti gael gwneud ffŵl ohona i, i ti gael dallt.' Er ei fod yn gweiddi drwy ei geg roedd ei hanner wedi cau, fel *ventriloquist*. 'Paid ti byth â gofyn i mi eto i arwain dy gonsart dwy a dima di. Gorfod sefyll ar y llwyfan fatha mul, agor 'y ngheg a diawch fawr o neb yn 'y nghlwad i.'

Mi oedd o'n dal yn gas ac annifyr pan gyrhaeddais adra, a Mam druan yn gofyn, 'Ti 'di ypsetio dy dad, d'wad?'

Ond rhaid cydnabod mai anaml y bydden ni'n cweryla. Fo, fel rheol, oedd yn iawn. Tipyn o ben bach oeddwn i, yn meddwl 'mod i'n gwybod yn well, ac yn meddwl 'mod i'n well nag oeddwn i. A hynny fyddai'n ei wylltio yn fwy na dim.

Pan fyddai Nhad yn mynd i rywle diarth byddai'n holi pwy oedd pwy. Ond fel arfer doedd dim rhaid, gan ei fod yn nabod pawb, a phawb yn ei nabod o. Mewn cyngerdd adra ym Modffordd byddai'n tynnu coes ei ffrindiau a phobol roedd yn eu nabod yn well na neb. Wrth gwrs, byddai'r gynulleidfa hwythau yn nabod y cymeriadau yn ogystal.

'Ia m... m... diolch am y croeso. 'Dach chi'n clapio'n dda, daliwch ati drwy nos, plis... Neis 'ych gweld chi, Musys Ifas y caffi. 'Cw hi yn ista yn y cefn, 'lwch, er mwyn bod y cynta allan os byddan ni'n gwneud casgliad... Neis gweld yr hen neuadd 'ma'n llawn, pob sêt yn llawn. Da 'te... yn ôl Ellis Wyn Roberts, trefnydd y noson, fydd Aelod Seneddol y Sir ddim yma heno. [Saib] M... m...? Y? O, chafodd o ddim gwahoddiad 'chi... Ia, 'na fo, iawn! Be sy isio fo, 'te? Dwi'n gwbod pan mae gwleidydd yn deud celwydd. Gwyliwch chi nhw'n ofalus... Unwaith mae o'n agor 'i geg, mae o'n deud celwydd... M... m..., Ellis 'ma, ffrind da i chi. [Saib] Ia, dim i mi, o na...

'Neis iawn cael bod yma heno, a diolch am y bwyd ar y dechra, chwara teg... posh. Rhywun 'di mynd i draffarth. Mi oedd Mrs Roberts Bryn Hyfryd yn byta'r cyw iâr 'na efo menig. Oedd, wir yr. Neis cael bod adra fel hyn. 'Sna ddim lle yn y byd yn well na Bodffordd. Pan dwi ar fy nheithia o gwmpas y wlad... dwi'n teithio lot, 'chi... Es i i Lundan dair wsnos yn ôl. Ew, ro'dd 'na bobol 'na, pobol yn bob man. 'Nes i ofyn i'r ddynas 'ma oedd tu allan i siop bwtsiar fel'na, "Is it market day?" medda fi.

'Welis i lot o bobol enwog. Dwi wrth fy modd yn cyfarfod â phobol enwog 'chi – *star-struck* maen nhw'n 'i alw fo 'dwch?

Ta waeth, 'nes i gyfarfod ag un seren fawr, fawr iawn, rhyw ddau fis yn ôl. Do, wir yr 'ŵan, a hynny yn y Savoy. Ia wir, y Savoy. [Saib] Savoy Llanfair Caereinion.

'Fi oedd y digrifwr gwadd, 'lwch, a gorfod siarad Saesneg, ia, Chals Botffordd yn siarad Saesneg. Cinio blynyddol Gwerthwyr Ceir Ail-law Gogledd a Chanolbarth Cymru oedd y noson, neu, fel oeddan nhw'n ei alw, "North and Mid Wales Second-hand Car Dealers". Pedwerydd nos Iau ym mis Hydref oedd hi, ia, 'na ni. Dwi'n gwbod ma'r pedwerydd nos Iau yn Hydref oedd hi achos ar y dyddiad yna bob blwyddyn ma gwerthwyr ceir ail-law y Gogledd a'r Canolbarth yn cyfarfod. Dyma'r noson maen nhw'n cael 'u swpar blynyddol, a dyma pryd maen nhw'n troi y clociau'n ôl.

'Yn ista ar yr un bwrdd â fi oedd y seren fawr fyd-enwog 'ma, neb llai na Shirley Bassey. Ia, ia, honno, y gantores enwog o Tiger Bay, Caerdydd. Wel, dyna pwy ddudodd hi oedd hi. Hanner ffordd drwy un jôc mi gododd ar ei thraed a deud 'If you're the comedian, then I'm Shirley Bassey!' Wel, dyna ni, pwy dwi i ddadla, 'te?'

Wrth gwrs, roedd paratoi manwl wedi bod cyn pob cyngerdd neu noson lawen. Ar adegau, ymhell o fonllefau cynulleidfa a stŵr yr aelwyd gartra, byddai'n mynd i siarad ag o ei hun. Sut dwi'n gwybod? Mi o'n i ddau gam a hanner y tu ôl iddo fo – digon agos i glywed popeth, a digon pell i beidio â busnesu yn y sioe un dyn hollol unigryw a gâi ei pherfformio ar y daith.

Mi fyddai'n cerdded ar hyd glan afon Cefni, yr holl ffordd o un pen i Lyn Frogwy hyd at Lyn Cefni yn y pen arall, taith o ryw ddwy filltir a hanner, ac wedyn yn cerdded dri chwarter y ffordd yn ôl, cyn troi am adra wrth bont Llangwyllog.

Byddai pyllau o ddŵr yn yr afon, pyllau wedi'u ffurfio yn naturiol dros y canrifoedd gan law a natur, neu byllau newydd wedi'u creu gan blant y pentra i gael lle digon dwfn i nofio. Mi oedd un o'r pyllau hyn yn union o dan bont lôn Llangwyllog, ac os byddai plant yn nofio yno byddai Nhad yn siŵr o stopio i siarad efo nhw, ac mi fydden nhwytha wrth eu bodd yn siarad efo fo.

Dwi'n cofio'n dda un diwrnod a Nhad yn gofyn i'r hogia oeddan nhw'n medru nofio. Doedd dim gwersi nofio yn yr ysgolion bryd hynny... wel, ddim ym Modffordd beth bynnag. Holi wedyn be fydden nhw'n wneud petaen nhw'n mynd i drafferthion. Pawb yn ateb drwy ddweud, 'Gweiddi ein henwau'n uchel.' Wel rŵan, dwi'n meddwl mai fan hyn oedd gan Nhad dan sylw pan fyddai'n dweud y stori amdano fo'n cerdded heibio'r afon ym Modffordd acw a chlywed llais yn dŵad o'r afon, 'Fedra i ddim nofio... fedra i ddim nofio.' 'Wel, na finna chwaith,' meddai ynta, 'ond dwi ddim yn gweiddi a deud wrth bawb dros y wlad.' Dro arall mi fyddai'r diwedd yn newid i 'Fedra i ddim canu chwaith, ond dwi ddim yn deud wrth bawb dros y wlad.' Dro arall byddai'r diweddglo'n hollol wahanol eto, a'r diwedd yma oedd fy hoff un i: 'Help, fedra i'm nofio...' 'Pwy sy 'na?' (Nhad rŵan yn manteisio ar enw person roedd o'n ei nabod) 'Robart John Henry Gruffydd Machraeth sy 'ma.' 'Wel myn diain i, helpwch 'ych hunain. Mae 'na ddigon o giang ohonach chi.' Wn i ddim faint o greu'r jôc yna wnaeth fy nhad, ond mi fydda i'n meddwl tybed beth oedd yn mynd drwy'i feddwl wrth edrych i lawr o'r bont i'r afon ar ein teithiau cerdded.

'Rôl treulio amser efo'r plant, ymlaen â ni. Mi fyddai o'n troi i'r chwith wrth y bont ar ei ffordd adra ac ymuno â'r lôn fawr, ar hyd Ffordd Llangwyllog, heibio hen gapel Sardis, sydd erbyn hyn yn dŷ ac yn gartra clyd. Wedyn i fyny'r pentra, a dweud helô wrth Musys Jones mam Jacki, fyddai bob amser yn sefyll yn nrws ffrynt ei thŷ.

Galw wedyn i ddweud helô wrth Yncl Alun, ei frawd, oedd wrthi mewn sied fechan yn trwsio beics pobol y pentra. Un tipyn yn wyllt oedd Yncl Alun, a fo fyddai'r unig un i feiddio cael gair croes efo Nhad. Er hynny, roedd yn gymeriad ffeind iawn, ac yn gyflym ei wit. 'Fedrwch chi fyta dau wy i ginio, Alun Williams?' meddai gwraig y fferm wrtho. 'Medra'n tad,' meddai Yncl Alun, 'a'r iâr ddodwodd nhw.' Bu ganddo ynta hefyd ddiddordeb mawr yn y byd actio, ac mi ddywedodd Nhad lawer gwaith y byddai Alun wedi gwneud actor llwyfan a theledu penigamp. Mae ei wyres, Bethan Marlow, bellach yn gwisgo mantell ei thaid yn anrhydeddus iawn.

Wedyn aem ymlaen a dweud helô wrth Mrs Willias Royal Oak, gwraig annwyl iawn na fyddai byth yn gorffen ei brawddegau. 'O, Chals Willias, dwi'n falch o'ch gweld, cysgu dim neithiwr, mi oedd yr hen frest 'ma...' Dim mwy na hynny, dim ond siâp ceg a gwynt. Yna byddai Nhad yn troi i mewn i siop ei frawd, fy Yncl Tomi. Mi fyddai o'n aros yma am banad, 'sgedan a sgwrs. Mi arhosa inna yma hefyd, i chi gael rhywfaint o flas yr hyn a brofais i lawer gwaith.

7
YNCL TOMI A MWY

YNCL TOMI OEDD siopwr y pentra, ac un o gymeriadau doniolaf y ddaear. Dyn bychan, y tebycaf welsoch chi erioed i Arthur Askey. Dyna, yn wir, oedd ei lysenw yn y fyddin. Roedd Yncl Tomi yn ddynwaredwr heb ei ail, ac yn storïwr penigamp, ac ro'n i wrth fy modd yn gwrando arno'n dynwared pobol y pentra... a gwneud hynny heb wawdio neb. Bob nos Wenar mi fyddwn yn mynd i ddelifro negeseuon o amgylch tai Gwalchmai efo fo, a dwi'n cofio dweud wrtho fo un diwrnod, 'Ew, Yncl Tomi, 'dach chi'n debyg i Dad.' A'r ateb? 'Nac ydw, Idw [dim ond fo ac Alvin Bessi fyddai'n fy ngalw fi'n Idw], dwi ddim yn debyg i dy dad 'sdi... [Saib dramatig] Dy dad sy'n debyg i mi, yli.' Chwerthin wedyn, ac ailddweud yr un peth drosodd a throsodd. 'Ti'n licio honna, Idw? Cofia ddeud wrth dy dad!'

Fel roedd fy nhad yn nabod ei gynulleidfa, mi oedd Yncl Tomi yn nabod ei gwsmeriaid. Yn wir, mi fyddai'n gwybod yn iawn beth oedd anghenion ei gwsmeriaid am yr wythnos.

Mi fu'r actor enwog J O Roberts yn brifathro ym Modffordd am gyfnod, cyfnod rhy fyr o lawer meddai pawb. Un o bleserau mawr JO oedd treulio orig neu ddwy efo Yncl Tomi yn y siop, a dwi am fentro dweud bod un neu ddau o'r cymeriadau bortreadodd JO mewn dramâu radio a theledu yn swnio'n debyg iawn, iawn i gwsmeriaid y siopwr ffraeth.

Heb amheuaeth, roedd gan Yncl Tomi synnwyr digrifwch

go arbennig, credwch chi fi. Dim ond am ychydig amser yr oedd angen bod yn ei gwmni i werthfawrogi'r cyfoeth digrifwch fyddai'n llifo o'i gymeriad, a hynny heb iddo feddwl ddwywaith bron. Roedd llawer un yn treulio oriau maith yn ei gwmni heb brynu bron ddim yn y siop, jyst gwrando ar y dyn bach doniol, a digrifwch y brawddegau doniol am gymeriadau'r pentra yn llifo o'i geg.

Ffaith ddiddorol i chi: dyma un o'r mannau lle byddai Charles Williams yn cael ei sgript ddigri, gan fod yna, o'r tu ôl i gownter Yncl Tomi, siop yn llawn cymeriadau a sefyllfaoedd doniol. Fan'ma heb os roedd Nhad yn cael llawer iawn o'i hiwmor: y siopwr yn creu'r llun a Nhad wedyn yn gwneud y peintio – ac roedd y paent, credwch chi fi, yn gwneud gwahaniaeth. Pa fath o hiwmor oedd i'w gael yn y siop, meddech chi?

Roedd wedi'i seilio ar bethau fyddai wedi digwydd, ac ar bethau a glywsai Yncl Tomi, a fynta wedyn yn ailadrodd yr hyn roedd pobol wedi'i ddweud. 'Mrs Jôs Tŷ Capal i mewn 'ma ddoe, Chals, ac mi ddudodd, "Mi fedrwch wneud pryd o ddim byd, Tomi Willias, os 'di'r stwff gynnoch chi."'

Mi oedd Yncl Tomi yn gwerthu popeth, o frwsh dannadd i olwyn beic, ac o dorth o fara i baraffîn. Saesnes ddiarth yn dod i'r siop un diwrnod. 'Do you sell paraffin?' holodd. 'Yes, madam,' meddai'r siopwr bach. 'Will you please, then,' meddai hitha, 'wash your hands and slice me half a pound of that lovely ham.'

Dyma i chi ddoniolwch ar ei orau. Gwraig i ffarmwr o Lynfas, sydd rhyw filltir o Fodffordd, yn dweud, "Dan ni'n mynd i aros efo'r ferch yn Llandudno am wsnos, Tomi Willias,' cyn holi, 'Sgynnoch chi drôns i ffitio dyn 48" *chest*?'

Mae Guto Roberts, golygydd hunangofiant Charles Williams, *Wel Dyma Fo*, hefyd yn dangos pwysigrwydd siop Yncl Tomi, tarddiad cymaint o ddeunydd hiwmor a straeon gwir Charles. Dwi'n cydnabod yn onest ei bod yn anodd gwybod ar adegau y gwahaniaeth rhwng y storïau gwir a'r jôcs, er nad oes fawr o ots gen i chwaith. Er, cofiwch, dwi wrth fy modd pan fydd yna gymeriadau dwi'n eu nabod yn y stori – fel y dyn trôns 48" *chest*.

Yn y siop efo fy ewyrth roedd Nhad yn mwynhau ei hun yn hel atgofion. Mi fyddech chi'n clywed y ddau'n chwerthin hyd at dagu. 'Mhen amser, mi brynodd Yncl Tomi y swyddfa bost, gyda siop fawr yn rhan o'r busnes, a garej gwerthu petrol. Dim ond y fo bellach oedd yn masnachu yn y pentra: un siopwr, dwy siop.

Dyma i chi sut mae Nhad, gyda help Guto Roberts yn y gyfrol *Wel Dyma Fo*, yn disgrifio'r ddrama yn y swyddfa bost. Nhad yn adrodd stori yr hyn oedd wedi digwydd yn nhŷ un o gymeriadau adnabyddus y pentra, sef John Jones, neu John Jôs Cariwr fel roedd pawb yn ei nabod. Roedd tipyn o gryndod yn ei lais, ac ynta'n hawdd i'w ddynwared felly, a byddai hynny'n ychwanegu at y cymeriad a'i ddigrifwch. Cario blawd o Felin Frogwy i'r ffermydd o gwmpas fyddai John Jones, ac fel gweddill y teulu, roedd yn ddyn witi, gwreiddiol a ffraeth iawn; yn wir, roedd Jane Jones, ei wraig, yr un mor ffraeth. Byddai John Jones yn hoffi llymaid bach o gwrw ar nos Sadwrn, er na welais i erioed mohono wedi meddwi chwaith.

Nhad yn dweud wrth Yncl Tomi fel hyn: 'Ro'n i yno ar nos Sadwrn ac ynta newydd gyrraedd o Langefni, a phwy ddaeth i'r tŷ ond Arthur, gŵr Florence, sef ei wyres. Roedd Arthur 'di bod yn yr ysbyty yn edrych am ei wraig, oedd newydd gael ei babi cynta. Byddai hi'n arferiad gan John Jones ychwanegu rhyw ebychiad, "Hoâ", bob hyn a hyn yn ei sgwrs. Dyma ddechra holi Arthur:

"Be sy gin ti, Arthur?"

"Hogyn bach, John Jôs."

"Hoâ, hogyn, Arthur... un go nobl, Arthur?"

"Ydi wir, reit nobl."

"Pwysa go lew arno fo?"

"Oes wir."

"Wel ia, faint o bwysa ydi o?"

"Tua'r saith 'ma, dwi'n meddwl."

"Hoâ, llawn digon… Wel rŵan 'ta, Arthur, ydi o'n beth bach del?"

"Ydi wir, John Jôs, digon del."

"Hoâ, a tebyg i bwy ydi o, Arthur?"

'Ar hyn dyma Jane Jôs yn codi ar ei thraed a rhyw hanner dawnsio o flaen John ei gŵr a gweiddi'n falch, "Wel, tebyg i'n teulu ni, wrth gwrs."

'Ac fel ergyd o wn, meddai John, "Hoâ'r nefoedd! Bodda fo ffordd gynta."'

Gallwch fentro bod Nhad ac Yncl Tomi yn eu dyblau'n chwerthin. Ond roedd Nhad isio mwy – fyddai o byth yn cael digon o hiwmor John Jôs a'r teulu – ac yn dweud, 'Pan ddaw o i siopa tro nesa, tria recordio'r sgwrs…'

Mae'r cwestiwn yn dal yn agored: o ble ddaeth hiwmor fy nhad, a'r digrifwch rhyfeddol oedd yn rhan o'i natur? Pam ei fod o'n gallu nabod cymeriadau doniol dim ond wrth edrych arnyn nhw? 'Di hynny ddim yn tyfu ar goeden, a 'dio ddim yn tyfu mewn ysgol na choleg chwaith. Mi ydw i'n nabod digrifwyr sy'n actorion comedi gwych, ond actorion comedi ydyn nhw a dim mwy. Fedran nhw ddim gweld comedi naturiol, na'i ddehongli. Dwi wedi gorfod egluro jôc i actorion, a chynhyrchwyr o ran hynny, cyn heddiw, ac ar ôl iddynt ddallt mi fyddan nhw'n dechrau chwerthin.

Mi wn fod ei fam, fy nain inna, yn ffraeth ryfeddol. Mi'i ganwyd hi yn Amlwch, er bod ei mam, sef nain fy nhad, wedi'i geni a'i magu yn yr un tŷ â Nhad, sef Penffordd (swnio fatha pantomeim, dydi?). Wedyn mi aeth ei nain, Magi Huws, i weithio yn Amlwch, a syrthio mewn cariad efo dyn o'r enw Charles. Daliwch yn dynn, mae'n mynd yn fwy cymhleth!

Iawn 'ta, Magi Huws, nain fy nhad, yn priodi Charles, sef John Charles Rowlands, a chael dau o blant, sef John ac Elin – Elin oedd Nain.

Dyna i chi eironig, roedd y Charles yma'n siopwr, ac yn gomedian. Welwch chi'r cysylltiad? Yncl Tomi y siopwr a Nhad y digrifwr wedi'u rhowlio yn un, ylwch. Yn ôl y sôn, roedd John Charles Rowlands yn ddyn ffraeth iawn ac mae'n debyg ei fod, ar un cyfnod, yn ŵr hynod o olygus, ac yn dipyn o swpyr-star yn y byd adloniant amatur. Pan fyddai John Charles Rowlands yn rhan o gyngerdd, byddai'r lle'n orlawn. Ei arbenigedd oedd gwisgo fel merch – neu, fel y clywais yn ddiweddar, gwisgai fel sawl merch, o ferch ifanc brydferth, ramantus i hen wraig gegog, flêr a choman. Byddai ynta hefyd, fel Yncl Tomi, yn manteisio ar ei brofiadau yn y siop i greu ei gymeriadau digri.

Mae pethau'n dŵad ychydig yn gliriach erbyn hyn. Mi welaf fod gwreiddiau comedi a digrifwch fy nhad yn dŵad o waed fy nain, Elin Emli. Cefais ddau lun o fy nain gan frawd hynaf fy nhad, Yncl Emrys. Roedd hi'n eithriadol o dlws pan oedd yn ifanc ond, yn anffodus, fel hen wraig braidd yn fusgrall dwi'n ei chofio. Roedd ei thad hi, taid fy nhad, John Charles Rowlands, nid yn unig yn ddigrifwr ond hefyd yn gerddor da iawn. Wel, wn i ddim fyddai o'n gallu cyfansoddi ac arwain cerddorfa, ond mi wn i sicrwydd ei fod yn canu darnau ysgafn, doniol i gyfeiliant ei fanjo, tra bod ei bartner, Gruffydd Williams, yn chwarae'r feiolin.

8
CHARLES WILLIAMS
Y CERDDOR A'I ISELDER

BYDDAI NHAD WEDI rhoi unrhyw beth am gael rhywfaint o ddawn canu ei daid, John Charles Rowlands. Doedd ganddo mo'r ddawn honno, er i mi ei glywed yn trin a thrafod canu fel petai'n arbenigwr, ond yr hyn sy'n od ryfeddol oedd y byddai'n gwybod pan fyddai canwr allan o diwn. Byddai'n trafod canu efo Capten Humphreys, Cerrig Duon, arweinydd Côr Meibion Bodffordd, a byddai wrth ei fodd yn mynd i ymarferion y côr yn ysgoldy Gad mor aml ag y gallai ar ôl capel nos Sul. Gwyddai wrth drafod beth oedd anghenion y côr ac a oedd y côr yn camddehongli darn o farddoniaeth, a byddai'n dadlau wedyn dros ginio yng Ngherrig Duon am yr hyn yr oedd wedi'i glywed yn yr ymarfer. Meddyliwch amdano'n dweud wrth Capten Humphreys fod un o'r tenoriaid allan dipyn bach. Na, doedd yr eirfa ddim ganddo, ond roedd ganddo glust dda.

Yn y 1960au dwi'n cofio bod ganddo ddiddordeb mawr mewn canu ysgafn, yn ystod yr adeg pan oeddwn i'n dechrau arwain a dweud jôcs. Pan fyddai Tony ac Aloma yn cyrraedd yr aelwyd i 'ngweld, byddai bob amser yn taflu awgrym neu ddau i'r ddau, a'r ddau bob amser yn gwerthfawrogi. Dwi'n cofio unwaith, pan roddodd awgrym answyddogol i'r ddeuawd enwog, mi welodd drwy gornel ei lygad fy mod i'n chwerthin. Mi wylltiodd yn gacwn efo fi o flaen pawb a dweud wrtha i am adael y stafell a pheidio dŵad yn ôl. Dwi'n brysio i ddweud mai chwerthin am rywbeth arall oeddwn i ar y pryd... wir!

Meddyliwch amdano'n dŵad â hanner dwsin o hogia Bodffordd at ei gilydd i greu grŵp *skiffle* efo fi'n canu – ia, fi! – Ken Joe ar y gitâr, Wil Kate Annie ar y *piano accordion* a rhywun arall ar y twb golchi enwog, gyda darn o bren wedi'i roi mewn twll yn nhop y gasgen, a llinyn yn sownd yn y pren i wneud sŵn bas. Maddeuwch i mi, hogia, ond dwi ddim yn cofio pwy oedd gweddill y grŵp. Digon posib bod Alwyn Humphreys Pen Bryn yn un o'r cantorion anffodus, a Victor Graig Bach. Ymarfer yn ein tŷ ni sawl noson, ac wedyn mynd i gystadlu yn Eisteddfod Môn, Niwbwrch, efo Jennie Eirian yn beirniadu a Nhad wedi sgwennu geiriau i geisio ei phlesio. 'O Jenny, tyrd i ganu, tyrd i ganu, Jenny fach.' Wnaeth hynny ddim gwahaniaeth o gwbwl – yr ail wobr gawson ni. Gresyn mai dim ond dau oedd yn cystadlu... Idris Hughes a Hogiau Bryngwran aeth â'r wobr gyntaf. Cofio mynd adra wedi cael hwyl fawr, a phobol Bodffordd yn gofyn pwy enillodd y wobr gyntaf yn yr adroddiad yma a'r gân a phwy gafodd y gadair ac yn y blaen. Yna mi ofynnodd rhywun pwy enillodd y *skiffle*, a meddai Nhad cyn i neb gael cyfle i ddweud gair, 'Idris.' Mi gymerodd sawl munud iddyn nhw gael gwybod mai Idris Hughes oedd yr Idris a enillodd.

Er ei fwynhad o gerddoriaeth o bob math, doedd Nhad ddim yn gallu canu ac mi wrthodai ganu'n gyhoeddus bob amser, er y byddech yn ei glywed yn morio canu emynau yn y capel. Fyddai o ddim yn canu mewn drama lwyfan na radio petai'r rhan yn gofyn am ychydig o ganu, ac mae'n wir dweud y byddai'r genedl wedi colli Charles Williams y dyn cyhoeddus digri am byth petai Ifan O Williams, cynhyrchydd gyda'r BBC ym Mangor, wedi cael ei ffordd.

Roedd Islwyn Ffowc Elis wedi sgwennu drama ar gyfer

Awr y Plant ac wrth drafod pennill o gân yn y sgript mi ddaeth llais Ifan O Williams y cynhyrchydd o'i stafell gynhyrchu i'r stiwdio drwy'r uchelseinydd bach ar y wal. Meddai Ifan O, o flaen criw mawr o actorion, 'Charli, wnei di ganu y pennill bach yna?' Gwyddai'r cynhyrchydd hwnnw, fel pob cynhyrchydd arall, nad oedd fy nhad yn gallu, neu'n fodlon, canu ac mi feddyliodd Nhad yn syth fod Ifan O yn ceisio gwneud sbort am ei ben o flaen pawb. Roedd Charles ei hun, yn ogystal â phawb arall, yn gwybod na fedrai gadw tiwn, ac felly ei ateb i'r cynhyrchydd oedd 'Na wnaf.' Doedd o erioed wedi gwrthod gwneud dim o'r blaen ac mi aeth yn ffrae eiriol rhwng y ddau yn y fan a'r lle.

Mi allwch fentro bod pawb yn y stiwdio y diwrnod hwnnw yn gwybod bod pethau yn ddrwg, yn ddrwg iawn, oherwydd mi wyddai'r actorion i gyd nad oedd neb yn parchu cynhyrchwyr fel fy nhad, felly pan wrthododd mewn llais ymosodol – 'Na wnaf' – daeth yr ateb yn ôl yr un mor ymosodol gan Ifan O:

'Dwi'n deud bod rhaid i ti.'

'O, nac ydach,' meddai'r gwas fferm bach cyffredin o Fodffordd wrth ddyn prifysgol pwysig. 'O, nac ydach. Na, dwi ddim yn mynd i wneud.'

'Be ti'n feddwl ti ddim yn mynd i wneud?'

Ac meddai Charles, wedi gwylltio'n rhacs ond gan ddal ei dir, 'Mi gei di a'r BBC gadw dy blydi sgript,' a'i thaflu ar y bwrdd wrth gychwyn cerdded am allan.

Dal i gerdded allan drwy ddrysau dwbwl Neuadd y Penrhyn fyddai o wedi'i wneud hefyd, neidio ar y bỳs nesaf, mynd adra a gofyn am ei job yn ôl yng Ngherrig Duon, oni bai i Meredydd Evans achub y dydd a'i berswadio i aros.

'Ty'd yma efo fi, Charli. Mi helpa i di efo'r gân 'ma.'

Pan ddaeth hi'n amser i Nhad ganu yn y sgript, mi ddaeth llais Ifan O o'i stafell gynhyrchu. 'Charli, wedi ailfeddwl, fydd dim angen i ti ganu y pennill bach 'na.'

Doedd pwy enillodd y frwydr ddim yn bwysig i Nhad, ond gwyddai'n ddistaw bach y byddai wedi bod yn ddigon hapus petai wedi cael ei orfodi i fynd yn ôl a gwisgo ei gap pig ar fferm Cerrig Duon. Byddai wedi bod yn hapus yn bwydo'r moch a'r gwartheg heb neb yn ei orfodi i ganu, er mai canu fyddai o hefyd wrth fwydo'r moch a'r gwartheg.

Eto, dyma i chi wirionedd rhyfedd a doniol. T P Roberts sy'n dweud y stori yma, a'r ddau'n ffrindiau da. TP, mae'n debyg, oedd ei ffrind gorau yn yr ysgol, a rhai'n meddwl eu bod yn ddau frawd, gan mor agos ac mor debyg oeddan nhw. Aeth y ddau i weithio fel gweision fferm dim ond poerad go lew oddi wrth ei gilydd, a reid bum munud ar gefn beic. Mi oedd TP yn actor amatur da iawn hefyd, a'r ddau'n gwneud sgetsys doniol efo'i gilydd mewn cyngherddau bach ar hyd a lled yr ynys, gan fentro dros y môr weithiau i Sir Gaernarfon bell. Mi welais y ddau sawl tro'n actio mewn dramâu byrion a sgetsys, gan chwerthin nes bod fy 'senna yn gweiddi 'Help, stopiwch!' Dim ond wrth wylio Arwel Hogia'r Wyddfa mewn sgetsys flynyddoedd wedyn dwi 'di chwerthin cymaint.

Beth bynnag, dwi'n crwydro rŵan, sôn am fy nhad yn canu oeddwn i, neu ddim yn canu falla. Yn nechrau'r 1950au roedd Ellis Wyn Roberts, yr adroddwr a thad Osian Roberts, un o hyfforddwyr disglair tîm pêl-droed Cymru, wedi penderfynu cystadlu ar y ddeialog yn Eisteddfod Môn, Llangefni. Y dewis oedd unrhyw bennod o *Henllys Fawr* gan W J Gruffydd. Dewiswyd y bennod 'Eos y Pentan' ac yn y stori mae Williams y siop wedi perswadio Tomos Tŷ Pella i ganu cân Eidaleg fel yr Eos enwog yn y cyngerdd. Nhad oedd i chwarae rhan yr Eos. Byddai fy nhad yn cael ei hyfforddi gan TP, oedd yn gerddor a chanwr da, felly i ffwrdd â nhw i fan tawel er mwyn i Charles gael gwersi sol-ffa – s d t t s l m m d – er mwyn medru canu'r geiriau Eidaleg yn y ddrama. 'Sta-se-ra, Ni-na mi-a, io son mon-ta-to' oedd y geiriau.

Cwestiwn mawr y dydd oedd beth ddaeth dros ben

Charles Botffoth i fentro'r fath beth. Mi wyddai pawb yn y gynulleidfa fechan nad oedd Charles, o bawb, yn gallu canu fel brân, heb sôn am fel yr Eos enwog yn nofel W J Gruffydd.

Yn ôl TP, mi ganodd Charles y noson honno gydag arddeliad, cystal ag unrhyw denor a ganodd yn yr Eisteddfod, a chanu cystal nes i lawer o bobol oedd yn cerdded y tu allan i'r babell stopio a gwrando a mynd i mewn, ac yn ôl adroddiad Ellis Wyn Roberts mi lenwodd y babell. Pobol yn holi pwy oedd yr Eidalwr oedd yn canu!

Cafwyd cymeradwyaeth fyddarol i'r tenor newydd, a TP wedi gwirioni efo'i ddisgybl. Nhad yn meddwl bod y gymeradwyaeth allan o syfrdandod neu gydymdeimlad yn hytrach na chanmoliaeth – fyddai 'na neb yn disgwyl y fath sain o enau'r fath berson. Yn ôl TP, roedd y gymeradwyaeth mor wresog nes bod pennau pobol o'r tu allan yn popio i mewn drwy'r tyllau a'r corneli yn y babell enfawr i geisio gweld beth oedd yn digwydd. Er hyn, doedd fy nhad ddim yn hapus na chwaith yn sicr a oedd yn llwyddiant ynteu'n fethiant. Gwyddai iddo dderbyn cymeradwyaeth y dorf am wneud pethau gwirionach na hyn. Dim ond geiriau ym meirniadaeth y beirniad fyddai'n cadarnhau yr hyn roedd TP wedi'i ddweud.

Wedi aros cryn dipyn am y feirniadaeth, a sawl un yn dod ato ar y maes i'w ganmol, cyhoeddwyd ar yr uchelseinydd mai'r eitem nesaf ar y llwyfan oedd traddodi beirniadaeth y ddeialog.

Mi faswn i'n bersonol yn rhoi unrhyw beth am gael bod yn bresennol yn y gynulleidfa y noson honno, neu hyd yn oed yn well fyth, yn eistedd efo Nhad yn gwrando ar y feirniadaeth. Roedd y beirniad adrodd wedi'i blesio'n fawr efo cyflwyniad llafar y ddeialog, ond er bod yr Eos, meddai, yn swnio'n dda pan oedd yn canu, a'r acen Eidalaidd mor berffaith ag y gallai Cymro ei chyflwyno, doedd o ddim yn gwybod a oedd yn canu'n gywir ai peidio. Felly cyn rhoi ei ddyfarniad terfynol dyma fo'n edrych i lawr at fwrdd y beirniaid cerdd a gofyn am gyngor Mr Meirion Williams, y beirniad canu, gan ofyn iddo a oedd y tenor yn canu'n gywir. Yr ateb gan y *maestro* oedd, 'Perffaith ym mhob ystyr.' O'r fath sŵn a chymeradwyo, Chals Botffoth yn cael ei werthfawrogi, ac ynta'n diolch am y fath gefnogaeth.

Rhaid cofio bod y dyn bach digri o Fodffordd yn enwog am ei berfformiadau doniol cyn iddo erioed roi ei droed ar lawr stiwdio a chyn iddo lefaru'r un gair i feicroffon y Gorfforaeth Brydeinig. Dyna pam roedd pobl Llangefni a'r fro ar eu traed yn cymeradwyo i'r dyn bach oedd yn eiddo iddyn nhw. 'Sgwn i oes 'na reswm pam nad oes cofnod yn unman o sut fath o ddathlu a fu?!

Yn gyhoeddus mi fyddai Nhad yn dweud mai gorchwyl mwyaf pleserus ei yrfa oedd actio yn y ddrama deledu *Mr Lolipop MA* gan Rhydderch Jones, ond wrtha fi'n gyfrinachol mi fyddai o'n dweud mai'r hyn roddodd y pleser mwyaf iddo erioed oedd canu ac ennill ar lwyfan Eisteddfod Môn, Llangefni, a'i bobol ei hun yn ei gymeradwyo yn y ddeialog.

Y BBC fyddai'n talu ei gyflog erbyn hyn, y swm anferth o £8 yr wythnos. Enillai'r swm hwnnw ers 1947, sef £384 y flwyddyn ar ôl iddo ymuno â Rep y BBC ym Mangor – blwyddyn fy ngeni fel mae'n digwydd bod. Er bod y cyflog yn fychan i gadw teulu, eto roedd yn ddwbwl yr hyn y byddai'n ei ennill am weithio ar y fferm. Mi aeth yr £8 yn £11 ymhen rhai blynyddoedd a fyddai o ddim yn cael sentan yn fwy am wneud wyth drama yr wythnos yn hytrach na dim ond un.

Mi gefais brofiad ar hyd y blynyddoedd o weld y Charles yma fyddai'n newid o fyd ffug y cyfryngau i fyd go iawn ei bobol ei hun. Gwyddai na allai actio a thwyllo'r rhain – rhaid fyddai iddo fod yn fo ei hun. Doedd dim lle i fod yn bwysig na gwahanol, hyd yn oed petai o isio bod. Mi welodd pobol Bodffordd, a neb ond pobol Bodffordd, y ddau fyd yn dod yn un, gweld Charles yn dawnsio i lawr y pentra fatha hogyn bach efo tegan newydd pan fyddai wedi cael syniad am sgets neu jôc, a geiriau honno rywle rhwng ei ymennydd a'i geg yn trio ffeindio eu ffordd allan.

Cyn pen hir byddai'r jôc honno'n barod i'w chyflwyno, wedi cael y cynhwysion gorau, y tymheredd gorau, pinsiad o hwn a'r llall, darn bychan ffres oddi ar goeden dychymyg na fyddai neb yn gwybod amdano ond y fo ei hun. O'r fath baratoi i ddyn oedd yn naturiol ddoniol, ond fel y byddai o'n dweud, mae'n rhaid cael y cynhwysion os am greu rhywbeth perffaith.

Unwaith ac unwaith yn unig y byddai'r gynulleidfa yn clywed y jôc, ond mi fyddai o ei hun wedi'i chlywed mewn llawer ffurf cyn mentro o flaen y gynulleidfa oedd yn disgwyl am y perlau. Mi ysgrifennodd Merêd yn ei gyfrol goffa:

> Dros y blynyddoedd cefais gyfle campus i'w wylio wrth ei waith ac ni welais ei gyffelyb erioed am drin cynulleidfaoedd. Arno ef y dibynnai ei gydberfformwyr i gynhesu'r dorf ac nid gwaith hawdd oedd hynny mewn rhai lleoedd!... Anaml iawn, iawn y byddai'n methu... Meddai ar gyflymder meddwl anghyffredin... chlywais i erioed neb a allai liwio ambell 'O...' ac 'A...' gyda chymaint amrywiaeth ystyr ac awgrym.

Andros o gompliment gan andros o ddyn mawr, ond nid wrth ista ar ei ben ôl yn y tŷ roedd y llwyddiant wedi dŵad iddo. Fel pob gweithiwr gwerth ei halen, gwyddai fod yn rhaid gweithio.

Wrth gwrs, fyddai pethau ddim yn hawdd bob tro. Roedd yn rhaid brwydro'n galed ar adegau i gael y fuddugoliaeth, er na fyddai'n dangos bod brwydr chwaith. Yna, y tu ôl i'r llenni a'r tu ôl i'r llwyfan ar ôl gorffen, ymhell o olwg pawb, deuai ochenaid o ryddhad ac o foddhad 'rôl cael y fuddugoliaeth – os buddugoliaeth hefyd. Fyddai o byth yn gyfan gwbwl hapus efo'i berfformiad.

Byddai, ar adegau, yn perfformio gyda rhai o fawrion y genedl. Teimlai'n isel ac yn ddi-ddim wrth gymharu ei hun â nhw. Mae'n anodd i'w edmygwyr ddeall mai dyn dihyder oedd Charles, dyn yn dioddef yn ddistaw o iselder, er nad dyna roedd pobol yn galw'r felan bryd hynny.

Mi wyddai Mam yn well na neb gymaint roedd fy nhad yn dioddef. Byddai'r ddau'n trafod yn hir ambell noson, ac er nad oeddan ni blant yn deall, roeddan ni'n deall digon i wybod bod rhywbeth yn bod ac nad oedd o'n hapus ei fyd. Byddai'n mynd yn ddistaw am gyfnodau hir, a gan fod Mam hefyd yn dioddef o iselder, tawel a rhyfedd o le fyddai ein tŷ ni yn ystod y cyfnodau hynny. Ond, diolch byth, doeddan nhw ddim yn gyfnodau hir, nid am fod y ddau'n gwella'n gyflym, ond yn hytrach am y byddai rhywun neu rywrai yn galw acw drwy'r amser. Fyddai 'na ddim diwrnod yn pasio na fyddai 'na rywun diarth yn galw, heb sôn am y drws agored fyddai 'na i bawb o'r pentra. Doedd yna byth glo ar ddrysau ein tŷ ni. Dwi erioed yn cofio Mam na Nhad yn dweud 'Cofia gloi.' Drws agored i bawb oedd aelwyd Charles a Jennie Williams yn 4, Bron Heulog, y tŷ cyngor cyffredin, anghyffredin. Mi fyddai'r ddau yn gadael y tŷ, Nhad i weithio, Mam i siopa, ac mi fyddai'r tŷ yn wag, ond heb ei gloi. Pan fyddai cnoc ar y drws gyda'r nos, mi fyddai Mam yn ymateb yn ei phanig, 'Bobol mawr, pobol ddiarth adag yma o'r nos, a sgin i ddim byd i swpar iddyn nhw!'

Dwi'n ymfalchïo i mi gael fy magu ar aelwyd gynnes, llawn hwyl a sbri, ond roedd yr adegau distaw a di-wên yn adegau uffernol. Does neb wedi sôn am hyn o'r blaen – doedd dim angen. Roeddan ni blant yn medru cuddio surni a diflastod ein rhieni am ein bod yn gallu cadw cefn ein gilydd. Roedd gwaed ein teulu ni'n dew iawn, ac ni freuddwydiai yr un ohonan ni weld y naill na'r llall yn cael cam.

Doedd fy nhad ddim yn dda iawn am wynebu ei

broblemau. Fyddai o byth yn cydnabod bod y felan arno – 'wedi blino' oedd ei esgus am y tawelwch llethol a'r diffyg gwenu. "Di Dad yn iawn, Mam?' oedd ein cwestiwn ni. 'Yndi tad,' meddai hitha, yn ceisio ei gorau glas i guddio'i phoen a'i phryder. Pan oedd Nhad yn hwyr yn dod adra 'rôl diwrnod o waith, mi fyddai Mam ar bigau'r drain. Doedd dim ffôn yn ein tŷ ni, ac yn sicr doedd dim ffôn symudol gan fy nhad na neb arall yr adeg honno. Mi wyddem ni hefyd pan oedd Mam yn poeni am gyflwr fy nhad – roedd yr asthma'n gwaethygu, a'r pwmp anadl yn ei cheg yn amlach o lawer.

Pres oedd ei bryder mwyaf: doedd byth ddigon, nid am ei fod yn ddi-waith ond am fod ganddo ormod o waith, a doedd o ddim yn cael ceiniog yn fwy am wneud mwy nag un cynhyrchiad. Mi wydden ni blant pan fyddai'r pres yn brin, gan mai tamaid o gig moch fyddai i ginio dydd Sul yn hytrach na'r cig eidion arferol. Dioddefodd yr iselder gwaethaf pan oeddan ni'n blant bach ac ynta'n gweithio mor galed. Pan ymunodd â Rep y BBC roedd ar gyflog digon bach o ystyried yr hyn a wnâi, mewn cyfnod prysur ar y radio – nid yn unig byddai'n actio mewn dramâu, ond roedd hefyd ar *Awr y Plant,* yn lleisio rhaglenni dogfen ar natur, yn storïwr mewn rhaglenni cylchgrawn, heb sôn am lawer o bethau eraill.

Gan ei fod mor brysur gyda'r BBC doedd dim cyfle i wneud pres ychwanegol ar y ffermydd. Pres y ffermio oedd ei 'subsidy', fel y byddai o'n dweud, a'r cymhorthdal hwnnw fyddai'n talu'r bil yn siop Yncl Tomi bob dydd Gwener. Mi aeth sawl dydd Gwener heibio a Mam yn methu talu'r bil, ac Yncl Tomi yn dweud, 'Rhoi fo lawr, Jini bach.'

Ei bryder mawr arall oedd cymdeithasu efo actorion eraill, er na fyddech chi byth yn meddwl hynny. Mi fyddai o'n dweud, 'Mae pobol bwysig y cyfryngau 'ma wedi cael coleg.' Prin oedd yr ysgol a gawsai o ei hun. Byddai actorion yn dod i mewn yn achlysurol i actio rhannau mewn dramâu radio, a'r rheiny'n athrawon, yn ddarlithwyr, yn feddygon ac yn weinidogion. Sawl gwaith y dywedodd fod actio fel amatur yn llawer haws dygymod ag ef ac yn well. Mi fu bron iawn iddo adael byd y cyfryngau yn gyfan gwbwl.

Ond byddai mor anghyson yn ei ddadansoddiad o'r sefyllfa roedd o ynddi, a byddai'n gwrth-ddweud ei hun yn gyson. Ar y naill law byddai'n dweud ei fod yn methu cymysgu efo'r ysgolheigion, neu'r 'bobol oedd 'di cael coleg' fel y byddai o'n dweud, ond ar y llaw arall byddai'n ymfalchïo bod ganddo ffrindiau da... A phwy oeddan nhw? J O Roberts, ei ffrind annwyl a diffuant, Gwilym Owen y darlledwr oedd unwaith yn gyd-actor iddo, W H Roberts, Llew Thomas, Len Roberts, Huw Jones, Meredydd Evans – pobol y coleg bob un.

Wrth gwrs, mi fyddai'r holl gast yn ffrindiau â Charles: Nesta Harris, Dic Huws, Stewart Jones, John Pierce Jones, Hywel Gwynfryn, Rachel Thomas, Robin Williams, Dr R Alun Evans a llawer mwy, ond dwi'n gwybod o brofiad mor anodd ydi perswadio person sydd mewn iselder.

Unwaith y byddai o'n ista, mi fyddai pawb o'i gwmpas fel gwenyn i bot jam. Gofynnais lawer gwaith iddo, 'Pam, ar ôl i chi ddeud nad oeddach chi ddim yn edrach 'mlaen at y gwmnïaeth, eich bod chi'n iawn yn eu canol?' 'Dal i siarad a mwydro efo nhw ro'n i, 'sdi,' meddai. 'Tra o'n i'n siarad doeddan nhw ddim yn cael cyfla i ddeud dim, yli.'

Roedd y gynulleidfa o bob oed yn fodlon ac yn ddedwydd yn ei gwmni, ac ynta'n eu bwydo'n ofalus â'r hyn oedd wrth eu bodd. Doedd dim gormod o eiriau, fel na fyddai neb yn tagu, dim byd sarhaus, fel na fyddai neb yn cael eu brifo, yr ansoddeiriau'n lliwio'r darlun, y pwysleisiadau yn gelfydd heb ddangos eu bod yn bwysleisiadau, rhythm y brawddegau yr un mor feistrolgar â nodau cywrain Joe Loss ei hun. Oeddach chi'n gwybod bod Charles Williams yn ymarfer ei jôcs? Oedd, roedd y perffeithydd wedi'u paratoi, perffeithrwydd yn y dehongliad a'r mynegiant, y jôc a oedd yn ffrwtian bellach yn barod. Sdim yn well i gogydd na bod y pryd bwyd y bu'n ei gynllunio'n ofalus yn wledd berffaith, a phawb a'i blasodd yn datgan mai hwn oedd y pryd gorau erioed gan y cogydd disglair... Waw!

Yn anffodus i mi, fel un o'r miloedd dros y blynyddoedd a welodd ac a brofodd hyn ar sawl achlysur, siom aruthrol yw gweld clipiau bob hyn a hyn ohono'n arwain *Noson Lawen* o'r 1980au ar S4C, ac ynta'n agosáu at oed yr addewid. Dwi'n ceisio peidio â'u gwylio. Mae'r hancesi poced oedd yn ddwfn yng nghegau'r gynulleidfa wedi diflannu, ac er bod llawer yn ei fwynhau a bod 'na lot o chwerthin, eto dydi o ddim yn hapus. Mae'n digwydd bod yn gyfnod yn ei fywyd pan oedd o wedi blino.

Mae pobol yn dweud heddiw iddynt weld fy nhad yn perfformio yn y cyfnod hwnnw... Na, na, wedi'i weld ar y llwyfan ydach chi, wedi'i glywed o'n dweud jôcs. Mi gefais inna hefyd brofiad tebyg. Mi welais yr anfarwol John Charles ar gae pêl-droed Ffordd Farrar, Bangor, ond fo fyddai'r cyntaf i ddweud mai ei weld ar y cae wnes i y noson honno, nid ei weld yn perfformio. Nid yr hyn y gwelwyd ef yn ei wneud i Gaerdydd, Leeds ac Juventus welais i. Gêm gyfeillgar oedd hon ym Mangor, a'r cawr tawel yn 62 mlwydd oed. A bod yn onest, mi ro'n i, hyd yn oed, yn well chwaraewr na fo y prynhawn hwnnw.

Dwi ddim yn mwynhau gweld fy nhad yn ystod ei ddyddiau olaf, yn cael ei osod ar bedestal uchel a'i gyflwyno fel digrifwr gwych, yr athrylith o ddigrifwr, a'r ansoddeiriau'n llifo'n rhy hawdd o enau pobol ddylsai fod yn gwybod yn well. Roedd Charles ei hun yn anfodlon, er y bu'r geiriau hynny'n ddisgrifiadau gwir ohono ar un adeg.

Poen calon i mi oedd ei weld yn cerdded ar y llwyfan ac yn gwybod bod y dyn nad oedd arno ofn herio unrhyw gynulleidfa unwaith, bellach yn methu amseru ei linellau'n iawn, ddim yn sicr oedd o'n cofio'r gair allweddol, wedi blino gormod i ymarfer. Byddai'n nerfus ynglŷn â'r cydbwysedd cywir ar gyfer rhediad y brawddegau ac am ei allu i reoli ei anadlu fel yr arferai wneud.

A allwch fy nghyhuddo o fod yn orfeirniadol o fy nhad fy hun? Dim y ffasiwn beth. Fo fyddai'n feirniadol ohono fo ei hun, yn llawer mwy na'r hyn y gallwn i fod. Mi fyddai o'n fy ffonio ar ôl bod yn recordio noson ar gyfer y teledu gyda'r geiriau, 'Paid â deud dim,' neu 'Ew, do'n i ddim ar fy ngora heno... pam dwi'n neud o, d'wad?' Wna i byth anghofio unwaith iddo dorri'i galon yn lân ar ôl recordio noson yn diddanu cynulleidfa yn Llandudno. Un o raglenni cyfres Gari Williams oedd hi ac roedd Gari ac ynta'n ffrindiau da. Roedd Gari, chwarae teg iddo, wedi'i ganmol yn ei gyflwyniad fel 'y dyn ei hun, sneb tebyg i hwn' ac yn y blaen, ond mi wyddai Nhad fod Gari yn cyflwyno Charles y gorffennol nid Charles y presennol. Bellach, y Charles wedi arafu oedd o, y Charles y byddai'n well ganddo fod yn rhywle arall y noson honno. Fi oedd yr unig un i ddweud y gwir wrtho, i gytuno neu i anghytuno.

'Welist ti'r rhaglen?'

'Do, Dad.'

'Cyn i ti ddeud dim... dwi'n gwbod.'

Ddudis i ddim gair.

Dyna pam, yn ystod ei ddyddiau olaf, y byddai'n gwrthod gwahoddiadau i fynd i arwain noson ar y radio neu ar deledu. Er y byddai wedi medru gwneud yn iawn, doedd perfformiad iawn ddim yn ddigon da iddo. Roedd yn gwybod nad oedd yr injan yn tanio fel y dylai.

Mi fydda i'n clywed Tudur Owen y digrifwr yn sôn am Charles Williams fel ei arwr ar y radio yn aml, a diolch iddo am hynny. Ond mi fyddwn i'n meddwl mai plentyn ifanc oedd Tudur pan glywodd Nhad yn rhaffu jôcs, a hynny ar fferm Iolo Owen, ei dad, un o ffrindiau gorau Nhad.

Pan oedd ar ei orau, roedd yn gallu dygymod ag unrhyw achlysur anodd. Byddai ei wit cyflym yn goddiweddyd unrhyw rwystredigaethau y deuai ar eu traws mewn noson lawen – heclars meddw weithiau. Wrth frwydro yn erbyn cynulleidfa anodd, byddai'n fodlon ei fyd, yn gwybod mai fo fyddai'n ennill cyn iddyn nhw droi am adra, a dyna fyddai'n rhoi'r boddhad mwyaf iddo. Wnaeth o erioed fethu cyrraedd y brig, erioed golli gornest. Byddai'n gadael yr heclars yn rhowlio mewn llwch o chwerthin.

Oedd, roedd yr hen iselder yn ei daro, yn arbennig pan deimlai nad oedd wedi cael amser i baratoi a meddwl am y noson oedd ganddo. Ond unwaith y byddai o flaen ei gynulleidfa, wedi iddo agor ei geg a chlywed pobol yn chwerthin, buan iawn roedd pob iselder a diffyg hyder yn ei adael. O fewn ychydig eiriau byddai'r gynulleidfa'n codi'r dyn a fu'n teimlo'n isel i'r uchelfannau. Petaech yn gwrando'n fanwl ar recordiad o'r noson o Gloddfa Ganol ar Recordiau Sain mi glywch dinc bach o iselder ar y dechrau, wrth iddo deimlo braidd yn siomedig pan sylweddolodd fod yno bobol oedd wedi'i glywed y tro cynt y bu yno.

9

'NÔL I'R DECHREUAD

MAE LLAWER UN ar hyd y blynyddoedd wedi gofyn i mi ym mhle a sut y dechreuodd fy nhad yn y byd actio a pherfformio. Pwy roddodd o ar ben ffordd? Pwy a'i dysgodd, a sut roedd ganddo'r fath ddawn i gymeriadu? Dwi'n gobeithio y bydd y bennod hon yn ateb rhai o'r cwestiynau am Charles Williams y digrifwr, yr arweinydd a'r actor. Mi wnaiff i chi sylweddoli'r pwys a roddai ar fod yn amyneddgar, gwneud ymdrech a dyfalbarhad, a chael cefnogaeth a chlust barod i wrando.

Yn sicr, nid camu ar lwyfan neu gerdded i stiwdio am fod ganddo ychydig o dalent wnaeth fy nhad, na chwaith gael hyfforddiant mewn coleg drama, ond yn hytrach dechrau mwynhau'r ddawn oedd ganddo. Mae deall y mwynhau yn bwysig. Byddai'n mwynhau'r llwyfan; yn wir, roedd rhoi ei droed ar lwyfan yn ei gyffroi'n lân, ac i raddau helaeth iawn yn ei newid o fod yn berson cyffredin i fod yn artist anghyffredin. Byddai'n gyfforddus o flaen llond neuadd o bobol, yn arbennig yn ei fro a'i gapel, cyn mentro i neuaddau a theatrau mawr, gan ddal i fod yn fodlon ei fyd am ei fod yn mwynhau.

Os gwelsoch Charles Williams yn arwain cyngerdd neu noson lawen neu'n dweud jôcs, y peth cyntaf y byddech wedi'i sylweddoli amdano oedd ei fod yn mwynhau. Ni fu erioed orfodaeth arno i fynd ar lwyfan fel roedd gorfodaeth arno i weithio pan oedd yn was fferm. Ar y fferm roedd gorfodaeth arno i godi'n fore, i odro llond beudy o fuchod trwm eu pwrs, ond gwneud hyn fyddai o am nad oedd dim gwaith arall ganddo. Rhaid oedd gweithio i fyw ac i dalu'r biliau. Ond fu erioed orfodaeth arno i sefyll ar lwyfan i ddiddanu, i ddweud jôcs. Mi wnaeth hynny yn ddidrafferth am ei fod yn mwynhau defnyddio ei dalent.

Yna, y cam nesaf oedd perffeithio'i ddawn drwy ymarfer y ddawn honno, a hynny hyd at syrffed i'r rhai nad oeddan nhw'n deall pwysigrwydd ymarfer. Ei nod oedd gwella ar yr hyn oedd ganddo, rhoi polish a sglein ar y ddawn, a hyn wnaeth iddo ragori fel arweinydd. Derbyn hyfforddiant, yn fwy na dim, drwy wrando a sylwi ar y rhai a chanddynt fwy o brofiad nag o, oedd yn gwybod yn well nag o, a gwneud hynny'n hapus heb rwgnach am y gost na'r amser. Yna, teimlo hyder wrth weld ei ddawn yn datblygu, heb fod yn orhyderus, a thrwy'r hyder gostyngedig yma, manteisio ar bob cyfle posib i ddysgu ymhellach. Nid anghofiodd, serch hynny, ym mhle y dechreuodd y cyfan, a bod parchu'r gynulleidfa yn hanfodol bwysig.

Mae geiriau Dafydd Iwan ar glawr record Nhad gan Sain yn adlewyrchiad perffaith o'r dyn a roddodd gymaint o fwynhad i Gymry dros hanner can mlynedd:

Mae gan Gymru nifer fawr o arweinyddion dawnus – pobol wedi defnyddio'r ddawn o gadw cynulleidfa yn ddiddig ac o gydio eitem wrth eitem trwy adrodd straeon digri. Ond os oes un sy'n haeddu cael ei alw'n frenin ar y gweddill – ac ni chredaf y byddai un ohonynt yn gwarafun hynny – Charles Williams, yr athrylith o Fodffordd, Môn yw hwnnw. Wrth gwrs, mae sawl gwedd ar ddawn Charles, ond y pennaf ohonynt yn ddi-os yw ei ddawn dweud, y gallu hwnnw i drin geiriau yn y fath fodd fel ag i beri dynoliaeth i chwerthin.

Mae blas y pridd yn drwm ar straeon Charles, a hwnnw'n bridd naturiol, braf yn llawn arogleuon y wlad. Un o'i gryfderau yw nad yw byth yn troi'r pridd yn faw. Gall fod yn rhywiog ac yn lliwgar, ond nid yw byth yn fasweddus. Pobol yw'r deunydd crai ac mae clust Charles wedi'i thiwnio'n fain i glywed y dywediadau hynny sy'n troi sgwrs gyffredin yn drysorfa o hiwmor. Ar hyd ei oes casglodd stôr ddiderfyn, yn llythrennol felly, o ddywediadau bachog, o droeon trwstan, o arferion bychan, unigryw ac od, ac o straeon afieithus.

Un peth yw cofio stori, mater arall yw ei dweud yn llwyddiannus. Rhaid dewis yr union eiriau ac amseru'r ergydion yn ofalus ac yn fwy na dim efallai rhaid deall naws y gynulleidfa...

Dwi'n teimlo'n ddigon pendant i ddweud yn y fan hyn nad gyda *Noson Lawen* Sam Jones y dechreuodd fy nhad arwain a pherfformio o flaen cynulleidfa. Nid dylanwad Sam Jones a chriw lled-broffesiynol y *Noson Lawen* ar y radio roddodd ddechrau i'w addysg yn y byd perfformio i Charles, er mor werthfawr oedd hynny. Nid dyn y BBC oedd fy nhad. Doedd o byth yn hoff o gael ei gyflwyno fel dyn y BBC chwaith, er cymaint o barch oedd ganddo i'r gorfforaeth honno. Mi oedd 'na ddyn arall, hollol ddi-ffws, dyn teulu, ffrind pobol, cymwynaswr y werin, yn byw oddi mewn i'r dyn cyhoeddus, poblogaidd yma, dyn a gawsai ddechreuad i'w yrfa efo criwiau amatur yn ei fro.

Byddai Nhad yn ymfalchïo yn y criw talentog, di-sôn-amdanynt oedd yn y cwmnïau amatur hyn roedd o'n arfer bod yn aelod ohonynt. Roedd y partïon yma'n broffesiynol eu hagwedd i'r eithaf, ac yn rhannu eu talent i ddiddanu cynulleidfaoedd mawr a bach. Gyda'r rhain y sylweddolodd ac y dysgodd nad ar chwarae bach yr oedd cynnal noson. Byddai'n rhaid wrth ddisgyblaeth a dangos parch at gynulleidfa, ac mi arhosodd y gwersi pwysig hynny gyda fo drwy ei fywyd.

Gallaf ddweud yn hollol onest na fyddai 'na ddim byd

yn ei wylltio yn fwy na phobol oedd heb roi o'u hamser i ymarfer, y diddanwyr rheiny oedd ag agwedd lipa, ddihid, 'mi wnaiff rhywbeth y tro'. Pobol oedd y rhain nad oeddan nhw'n parchu eu cynulleidfa. Heb os, etifeddodd y ddealltwriaeth bod angen iddo barchu ei dalent a'i waith gan amaturiaid gorau Sir Fôn.

Petaech yn gofyn i unrhyw actor fu'n cydweithio ag o'n broffesiynol, ar radio, teledu neu lwyfan, byddech yn cael cadarnhad y byddai o'n dod i'r ymarfer cyntaf yn gwybod y sgript, hyd yn oed pan fyddai ganddo'r hawl i'w darllen ar y radio. Mae Emyr Humphreys yn cofio cynhyrchu *Gwraig y Töwr*, y ddrama Gymraeg gyntaf i gael ei darlledu'n fyw ar y teledu, gyda David Lyn a Meri Rhiannon yn cyd-actio. Meddai Mr Humphreys:

> Y tri felly yn ymddangos am y tro cyntaf mewn drama deledu yn y Gymraeg... Cof gennyf bod Charles wedi dysgu bob gair o'r ddrama cyn i ni ddechrau ymarfer.

Dywedodd Stewart Jones:

> Yn ystod y misoedd y bûm yn ei gwmni cyson, deuthum i lwyr sylweddoli cymaint yr oedd ei waith yn ei olygu iddo... Ni wnâi ddim heb baratoi'n ofalus ymlaen llaw... llawer i dro y gwelais ef yn cyrraedd i rihyrsals y diwrnod cyntaf ac yn gwybod ei eiriau bron i gyd...

Mae Dilwyn Jones yn cofio'n dda recordio rhaglen radio gyda Nhad rai blynyddoedd yn ôl, ac anfonodd yr e-bost hwn ataf:

> Gryn ddeugain mlynedd yn ôl, cefais y pleser o recordio rhaglen ar gyfer y BBC gyda Charles yn sylwebu. Rhaglen am Gastell Penrhyn ar gyfer ysgolion Cymru oedd hi. Yn hytrach na chael y cyflwynydd arferol i draddodi'r sgript, penderfynais wahodd Charles i gymryd rhan hen chwarelwr o

ardal Bethesda oedd, ar ei ymddeoliad, yn ymweld â'r castell am y tro cynta. Gyrrwyd y sgript at Charles er mwyn iddo gael cyfle i ymgyfarwyddo â'r testun, ac addasu ac ystwytho'r geiriad fel byddai'r galw, a threfnwyd cyfarfod dros ginio cyn mynd ati i recordio yn y pnawn. Roedd hi'n amlwg fod Charles wedi darllen y sgript yn ofalus, ac wedi paratoi'n drwyadl. Awgrymodd yn 'i ffordd ddiymhongar 'i hun ambell newid a gwelliant yma a thraw, ac ar ôl cinio aed ati i recordio. Recordiwyd y rhaglen ar garlam, heb 'run saib na thrafferth o fath yn y byd. Wedi'r recordio, gadawodd Charles ei sgript ar y bwrdd ac yn ffodus mi gymeris inna olwg arni cyn iddi fynd i'r bin sbwriel, a da hynny. Roedd y sgript yn farciau beiro goch drwyddi – saib fan'ma; pwyslais fan'ma; oedi fan'ma ar bob tudalen, ym mhob llinell, yn wir ym mhob cymal a gair! Roedd Charles wedi bod wrthi'n mynd drwy'r sgript gyda chrib mân ymhell cyn cyrraedd y stiwdio. Gwyddai'n union sut byddai'n traddodi pob brawddeg, pob gair! Pan wrandewais ar y recordiad yn ddiweddarach, prin y dywedwn i fod sgript ar gael iddo. Roedd yr hen chwarelwr yn traddodi'n naturiol rugl a rhwydd o'i frest. Gresyn na chedwais gopi Charles o'r sgript! Oedd, roedd o wedi hen feistroli'r grefft o drin geiriau!

Mae Ifan Roberts, cynhyrchydd y gyfres ysgafn, ddoniol a gwych *Hufen a Moch Bach* gan y Parch. Harri Parri, yn dweud iddo fentro troi'r cymeriadau ar bapur mewn cyfrol yn gymeriadau credadwy ar gyfer y teledu, ond, wrth gwrs, roedd Nhad wedi darllen y straeon ar y radio, a dyma ddywedodd Ifan:

> Gofid arall fu gen i cyn dechrau oedd mai, i filoedd lawer
> o wrandawyr Radio Cymru, llais Charles oedd pob un o
> gymeriadau digrif a dwys Carreg Boeth. 'Roedd Dafydd Huw
> Williams, cynhyrchydd y gyfres radio, wedi disgrifio lawer
> gwaith mor fanwl y byddai'r 'meistr' yn gwneud marciau ar
> ei sgript i droi o lais i lais o fewn amrantiad. Pwysicach fyth,
> 'doedd o byth yn gadael i leisiau ymdebygu.

Hoffwn inna fan hyn gydnabod bod John Ogwen, sy'n darllen y straeon ers blynyddoedd bellach, yn gwneud yr un gwaith rhagorol, ac yn dod â'r cymeriadau yn fyw i'r glust a'r dychymyg.

Nid yn unig roedd Nhad yn gwybod geiriau'r sgript, ond roedd hefyd yn gwybod popeth am y cymeriadau o fewn y sgript. Pan fyddai'n actio hen ddyn – ac mi wnaeth lawer o gymeriadau felly – roedd ganddo fel arfer ddarlun o rywun yn ei ben wrth actio. Byddai wedi gwylio pob symudiad o eiddo hwnnw. Mi fyddai'n dweud pethau bach holl bwysig – dydi hen ddyn neu hen ffarmwr ddim yn gafael mewn ffon fatha pobol ifanc, mae'i law o'n llawer mwy stiff, ond pan fydd ganddo bastwn yn ei law, sy'n arf mae o wedi hen arfer efo fo, mae'r grip yn newid. Byddai ei gerddediad fel hen ddyn hefyd wedi'i addasu, ei gamau'n wahanol, a byddai'n sefyll ac yn aros fel hen ddyn.

Dylanwad y cwmnïau amatur oedd hyn ar fy nhad, a dim arall. Dylanwad pobol gyffredin, y gwnaeth o'u parchu a'u clodfori hyd at ei fedd. Hyd yn oed pan ddeuai adra 'rôl cyfnod mewn stiwdio neu'n ffilmio gydag actorion proffesiynol adnabyddus, a'r goleuadau wedi bod arno, a'r camerâu yn ei ddangos yn holl gartrefi Cymru, o fewn dim o gyrraedd adra ym Modffordd byddai'n medru anghofio am hynny'n llwyr. Gartra ym Môn byddech yn ei weld yn ista yn un o'r gynulleidfa mewn neuadd fechan yn cefnogi a chymeradwyo talentau bro, mewn cyngerdd neu eisteddfod. Byddai'n mwynhau plentyn dan bump yn adrodd cystal â chantorion ac adroddwyr yn y prif gystadlaethau. Cymeradwyai bawb oedd wedi mentro ar y llwyfan, ac mi fyddai pobol yn sylwi mai Chals fyddai'r olaf i adael eisteddfod leol a fyddai wedi rhedeg yn hwyr. Diolch byth na wnaeth o erioed anghofio pwy oedd o, na ble'r oedd ei wreiddiau.

Daeth y cyfle cyntaf iddo weld diddanwyr yn perfformio

a chael blas ar ddiddanwch llwyfan mewn neuadd nad oedd ymhell o'i gartra – er na fu hynny'n brofiad pleserus iawn iddo fel plentyn ysgol, am iddo gael y fath ofn. Roedd dwy ddol fawr hyll yr olwg yn lledorwedd yn flêr yng nghefn y llwyfan. Doedd y Charles Penffordd ifanc yn ei drowsus penglin erioed wedi gweld y fath beth, a disgwyliai'n eiddgar i weld beth yn union oedd eu pwrpas.

Roedd y doliau hyn wedi'u gwisgo'n flêr mewn dillad hen ddyn a hen ddynes, a'r rheiny o leiaf dri seis yn rhy fawr iddyn nhw, gyda'r pen a'r coesau ymhell o fod yn perthyn i'w gilydd. Ac os oedd edrych arnynt yn ddigon i ddychryn yr hogyn bach diniwed, cafodd sioc fwyaf ei fywyd pan ddechreuodd y ddwy ddol ymddangos fel petai bywyd ynddyn nhw, a dangos eu bod yn gallu siarad. Gwnaethant hynny, wrth gwrs, gyda chymorth medrus y tafleisydd, ac yn waeth byth i'r bachgen, roedd yn ymddangos fel petai'r ddwy'n siarad efo fo, Charles ei hun. Mi frysiodd allan o'r neuadd, a chreu lot o stŵr wrth wneud, a rhedeg adra bob cam, a hynny dan grio.

Mae Yncl Emrys, sydd yn gant ac un eleni, yn cofio iddo weld Charles yn cyrraedd adra o'r cyngerdd hwnnw yn llwyd fel ysbryd. Aeth yn syth i'w wely gan grio'i hun i gysgu.

Flynyddoedd yn ddiweddarach, pan ymunodd â pharti cyngerdd o Langefni, mi welodd y ddwy ddol unwaith eto. Y tro hwn roedd y tafleisydd Owen Ellis yn ista rhyngddynt, a hwnnw'n ddyn clên a charedig, a llwyddodd i sicrhau Charles fod y doliau'n hollol ddiniwed.

10

DYLANWAD NAIN
AR CHARLES WILLIAMS

FEL POB ARTIST neu berfformiwr arall, rhaid oedd dechrau yn rhywle, ac mi gafodd Nhad, fel y dywedodd lawer gwaith, y dechreuad gorau posib. Cafodd flas ar ddysgu barddoniaeth yn ifanc iawn, gan ddod i sylweddoli gwerth geiriau ar yr aelwyd efo'i fam. Hi fyddai'n ei annog i ddarllen barddoniaeth ac i ddysgu ar ei gof ddarnau hir o adroddiadau ar gyfer cystadlu yn yr eisteddfodau. Ei fam welodd fod deunydd perfformiwr yn Charles gyntaf, ac er ei fod yn un o wyth o blant, mi wyddai hi fod rhywbeth go sbesial am ei hail fab. Dyna pam iddi ei gario i eisteddfodau ledled y sir a thu hwnt, a hynny nid mewn car neu fŷs, ond ar gefn beic.

Byddai Nhad yn sôn llawer am Nain yn pedlo ffwl sbîd ar ei beic, a Nhad yn ista ar y ffrâm a'i goesau'n hongian yn y gwynt. Fyddai dim amser i droi clos na dim amser i gael pi-pi ar y ffordd, dim ond mynd a mynd a hynny'n ddi-stop. Dyna i chi ddarlun hyfryd o ymrwymiad perffaith, dyna i chi gomitment Nain. 'Ydi o'n bell eto, Mam?' oedd unig gri y bachgen deng mlwydd oed wrth ista'n anghyfforddus ar y ffrâm denau, a châi yr un ateb bob tro, 'Rownd y gongol nesa acw, yli, ac mi fyddan ni'n nes.' Er nad oedd y geiriau yna, mewn gwirionedd, yn golygu dim, roeddan nhw'n llwyddo i roi taw arno, a'i fodloni am filltir neu ddwy arall cyn iddo holi unwaith eto. Roedd yr elltydd yn serth a'r beic un gêr yn drwm, ond doedd dim ystyriaeth i ddod oddi ar y beic a cherdded; rhaid oedd cyrraedd y *prelim*, doed a ddelo.

Pan oeddan ni'n blant byddai Nhad yn mynd â ni am dro yn yr Austin A40, a hynny gan amlaf i ddweud hanesion am y gorffennol wrthan ni. Os byddai'r moto'n pwyntio'i drwyn tuag at Fona, yna mi oeddan ni'n gwybod mai hanes Nain a'r beic oedd hi am fod. Byddai'n stopio ar y lôn wrth ochor y cae lle'r oedd ei hen gartra, Penffordd, ac yn dweud, 'Fan'ma roedd eich nain yn fy rhoi ar ffrâm y beic, ac yn fy nghario i eisteddfodau y sir.'

Doeddan ni blant yr adeg hynny ddim yn gwybod llawer am ddaearyddiaeth y sir, na chwaith pa mor bell oedd llefydd fel Llanfair-yng-Nghornwy, Llanfaethlu, Llanfachraeth, Llandegfan, nac unrhyw Lan arall o ran hynny. 'Awn ni am dro yn y car heno ar hyd y lôn y bydden ni'n mynd hyd-ddi i Gaergybi, fi ar y ffrâm a'ch nain yn reidio'r beic ar daith o bymtheg milltir.' Mi oedd y 'mynd am dro' i ddangos Nain yn mynd â fo i'r eisteddfodau yn dechrau yn union yr un peth bob tro. Gwrando fel petai'r stori'n newydd fyddwn i, tra byddai Glyn fy mrawd yn mwmblan dan ei wynt ar ôl pob brawddeg, 'Gwbod, gwbod, gwbod.' 'Welwch chi'r murddun acw? Wel, fan'na ro'n i'n byw, wedyn cychwyn yn fan'na, a Mam yn fy rhoi i ista ar y ffrâm. Doedd 'na ddim lot o le, a'r reid yn ryff ar fy mhen ôl o fuarth y tyddyn i'r lôn bost... wedyn i ffwrdd â ni.'

Roedd o wrth ei fodd yn disgrifio'r daith i ni. 'Fan acw,' meddai gan bwyntio'i fys tuag at fferm Bodweina, Gwalchmai, 'roeddwn i'n gweini fel gwas bach, ylwch, yn gynnar 'rôl gadael yr ysgol, am swllt yr wsnos. Carthu a godro ro'n i'n ei neud fwya,' a Glyn yn dal i fwmblan, 'Gwbod, gwbod.' Er bod Sir Fôn, yn ôl pob map, yn weddol wastad, roedd fy nhad yn mynnu'n wahanol, ac yn dangos i ni sawl allt serth oedd rhwng Bodffordd a Chaergybi. 'Pan fydd athrawon ysgol yn deud wrthach chi bod Sir Fôn yn fflat,' byddai'n dweud, 'dudwch wrthyn nhw am drio reidio beic un gêr efo rhywun yn ista ar y ffrâm o un pen i'r sir i'r llall a wedyn gofyn ydi Sir Fôn yn fflat.'

Byddai'n arafu'r car yn fwriadol ar ambell allt go serth, gan gymryd arno bod y car yn methu dringo i'r copa. 'Sbïwch,' meddai o, 'neith y car 'ma ddim mynd ymhellach, neith o ddim symud. Be nawn ni? Rhaid i chi fynd allan i gerddad.' Wedyn, heb unrhyw rybudd na rheswm yn y byd, byddai'r car fel petai'n cael nerth o rywle. 'Fel yna roedd eich nain ar yr hen allt yma, hen goblan o allt oedd hon, ac mi fydda eich nain yn deud geiriau nad oeddwn i wedi clywed neb yn eu dweud cyn hynny, geiriau oedd yn ddigon i ddychryn y diafol ei hun. Ha ha.'

Wedyn, cyrraedd pen y daith, ac ar ôl chwilio am y neuadd a'i ffeindio byddai gwên fawr yn llenwi ei wyneb. 'Sawl gwaith,' meddai, 'y bydden ni'n dau, 'ych nain a finna, yn cyrraedd fan'ma yn chwys doman dail o'n pen i'n traed oherwydd poethder yr haul ambell dro, a thro arall yn socian drwodd oherwydd y glaw.'

Wedyn, yn ôl ei arfer, mi fyddai'n rhaid edrych drwy'r ffenestri, ia, bob un ohonynt, er y byddai wedi gweld y cwbwl drwy'r ddwy ffenest gyntaf, a dwi'n siŵr y byddai o, wrth edrych i mewn, yn clywed ei hun yn adrodd, clywed wedyn y gymeradwyaeth, a mwy fyth o gymeradwyaeth pan fyddai'r arweinydd yn cyhoeddi enw 'Charles' fel yr enillydd. Pan fyddai o mewn hwyliau da, a digon o amser gynnon ni, mi fyddai'n sôn pwy oedd yn y gynulleidfa, pwy oedd yn arwain a phwy oedd yn cystadlu yn ei erbyn... tra bydden ni'n bwyta *chips* yng nghefn y car.

Roedd y daith yn hir yn y car, heb sôn am fynd ar gefn beic efo dau arno, a dim ond un yn pedlo. Ond 'di'r stori ddim yn gorffen yn fan'na. Byddai Nain wedyn, ar ôl cyrraedd y neuadd, yn gollwng fy nhad a'i roi'n ddiogel

Rhieni Charles, a'i rhoddodd ar ben y ffordd o Benffordd, William Williams ac Elin Emily.

Charles gyda'i rieni o flaen Penffordd, y tyddyn lle cafodd ei eni a'i fagu.

Y ddau deiliwr, tad fy nhad a'i frawd, Evan Henry. Yn y gweithdy hwn y clywodd fy nhad leisiau cymeriadau Bodffordd, a ddaeth yn rhan annatod o'i fywyd fel actor. Bu'n eistedd am oriau yn sylwi ac yn gwrando ar y sgwrsio.

Charles gyda'i rieni a'i frodyr Emrys ac Evan Richard (a laddwyd yn Burma yn yr Ail Ryfel Byd).

Fy nain. Hebddi hi, byddai Charles Williams wedi gorfod bodloni ar weithio ar y ffarm. Cariodd ef ar ffrâm ei beic i bob 'steddfod ym mhob tywydd.

Charles a Jini ei wraig (mam anghyffredin) wedi cael gwahoddiad i fod yn westeion arbennig ar y gyfres *Sion a Siân*.

Rhai o blant yr ysgol Sul a enillodd gwpan y Gylchwyl. Charles yn arolygwr, gyda dau o'r athrawon un bob ochor i'r llun, Anti Lisi (Mrs L B Humphreys) ac Arthur Williams.

Yncl Tomi ac Anti Beti yn y siop ym Modffordd, cyrchfan pobol Bodffordd, a lle da i Charles gael ei straeon gwir.

Cwmni drama un teulu, a dau ychwanegol. Charles y cynhyrchydd yn sefyll, Jini (ei wraig) yna Yncl Alun, Yncl Tomi, Yncl Emrys, Yncl Jac, Wili a Glyn (meibion) a'r ddau arall, Cledwyn Roberts a Dennis Hughes.

Adra ym Modffordd yn ymarfer ei jôcs… y felin flawd y tu cefn iddo a chymysgfa newydd o straeon o'i flaen.

Yr anfarwol T C Simpson, un o sêr *Noson Lawen* y BBC yn y 1940au, wrth ei waith bob dydd fel postmon yn Llangefni.

Charles a T C Simpson yn recordio yr hen *Noson Lawen*.

Ymlacio adra ym Modffordd.

Ei ddrama deledu gyntaf, *Gwraig y Töwr*, gyda Meri Rhiannon Jones a Margaret John (a ddaeth yn enwog mewn cynyrchiadau megis *Gavin and Stacey*).

Y meistr a'r prentis mewn drama deledu o ddechrau'r 1960au, *Dalar Deg* gan W S Jones. Drama deledu gyntaf y prentis.

Cael presant gan y Cwîn, y tu allan i'w thŷ, efo Wili, Glyn a fi.

Yn cyd-actio ag Ellen Roger Jones, actores a barchai'n fawr, yn y ddrama lwyfan *Tri Chryfion Byd* i Gwmni Theatr Cymru.

Yn *Byd a Betws* efo Glyn Williams a Kitty Owen.

Cyfres *Mostyn a'r Cryman Bach*, a Chals bach Botffoth yn actio cyfreithiwr pwysig a chyfoethog…

Mostyn a'r Cryman Bach, a'r cyfreithiwr yn ei wely yn paratoi ar gyfer y llys.

Yn *Y Gwyliwr*.

Yn *Rhyngoch Chi a Minnau.*

Yn *Cwm Sarnau.*

Mewn drama deledu
gyda'i gyfaill J O Roberts.

Yn *Gwen Tomos.*

Yr anfarwol Ryan Davies a Nhad mewn sgets, 'feri haili beth'ma'.

Yn Frogwy Fawr yn ffilmio efo David Lyn.

Charles fel *signalman* yn y ddrama *Public Inquiry* yn y gyfres 'The Wednesday Play', un o'r ychydig ddramâu Saesneg y cytunodd i'w gwneud.

Yn y fersiwn Saesneg o ddrama enwog Rhydderch Jones, *Mr Lollipop MA*, gyda'r actores fyd-enwog y Fonesig Flora Robson. 'Roedd deigryn yn ei llygaid ym mhob ymarfer.'

Charles yn ei elfen gyda chriw hapus a doniol y *Noson Lawen*: Nesta Harris, Ieuan Rhys Williams, Emrys Cleaver a T C Simpson yn y cefn; Charles a Megan Rees yn y blaen.

Gwestai ar raglen Elinor Jones ar HTV.

Yr awdur, Idris Charles, isio cael ei lun yn y llyfr, dim rheswm arall. Y lluniau o ddyddiau *Stumiau* yn y 1980au (heb newid dim).

yn llaw rhywun roedd hi'n ei nabod i fynd ag o i'r *prelim*, yna byddai hi'n reidio 'nôl yr holl ffordd adra i Benffordd i odro ac i wneud gorchwylion eraill yn y cartra. Wrth gwrs, byddai'n rhaid reidio'r beic unwaith eto ar y siwrnai faith yn ôl i'r eisteddfod ac wedyn, ar ôl i'r cystadlu orffen, reidio yr holl ffordd adra a chyrraedd Penffordd yn hwyr y nos. Dychmygwch y ffasiwn ymdrech: reidio 60 milltir mewn un diwrnod ar gyfer un gystadleuaeth i un hogyn bach... ac yna, mewn llai na deufis, rhoi genedigaeth i Yncl Tomi, a'r cyfan am fod Nain yn gweld gwerth yn yr hyn roedd Charles yn ei wneud.

Dyma un o'r pethau fyddai'n cadw'i draed ar y ddaear. Efallai, petai wedi cael coleg, y byddai'n gwybod mwy am farddoniaeth ac am y ddrama, yn gwybod mwy am dechneg actio, ac mae'n ddigon posib y byddai'n well mewn llawer peth, ond mae'n ddowt gen i a fyddai ei draed mor sownd ar y ddaear.

Dyma hefyd a'i gwnaeth yn ddyn gostyngedig ar hyd ei oes, yn ddyn oedd efo amser i bawb wrth gerdded y stryd neu ar faes yr Eisteddfod, yn rhoi'r argraff i bawb ei fod yn eu nabod yn dda. Wedi dweud hynny, mi oedd yn nabod pawb yn dda ac mi roedd o'n licio nabod pobol. Dyn oedd yn falch ryfeddol o'i fagwraeth oedd Charles Williams.

Efo'i fam ar gefn beic yr oedd y dechreuad. Felly, digon teg i ni heddiw, wrth ddathlu canmlwyddiant ei eni, ydi gofyn oedd hi'n werth yr holl ymdrech i Nain, y boen a'r dioddef. Wel, yn sicr, roedd y cyfan yn hwb aruthrol ac yn gymorth heb ei ail i roi dechrau perffaith i'r hogyn bach – a diolch i'r ffrâm beic, mi ddaeth yn actor.

Efallai mai dyna i chi pam y byddai Nhad yn mynnu y byddai pob perfformiad er cof am yr un a'i rhoddodd o i ista ar ffrâm y beic hwnnw, cyn iddo sefyll ar unrhyw lwyfan. Mi glywson ni, ei blant, fo'n dweud yn aml fod dysgu penodau o *Pobol y Cwm* yn dod yn dasg haws o lawer wrth iddo feddwl am y reid ar y beic i fyny elltydd Mynydd Paris a Rhos-y-bol, ac ynta a'i fam ar eu ffordd i Eisteddfod Amlwch.

Mae mamau a thadau, neiniau a theidiau ledled y wlad sydd wedi ymdrechu i roi'r cyfle gorau posib i'w plant yn haeddu pob clod, ond dwi am fentro dweud nad oes yr un enaid byw yng Nghymru sy'n ddigon ffodus i gael gweithio yn y cyfryngau Cymraeg ddoe na heddiw wedi ymdrechu nac aberthu gorff ac enaid fel y gwnaeth Nain i sicrhau bod ei mab yn cyrraedd y nod. Rhaid cofio yn y cyfnod hwnnw, yn niwedd y 1920au a dechrau'r 1930au, nad oedd hi na neb arall wedi meddwl na hyd yn oed dychmygu y byddai perfformwyr yn gweithio am eu bara menyn yn y Gymraeg, heb sôn am fodolaeth gwasanaeth Radio Cymru ac S4C. Er hynny, roedd Nain yn gwybod y byddai Charles, rhyw ddydd, yn rhywun go sbesial.

Mae ffydd mewn rhywbeth 'dach chi heb ei weld, ei glywed na'i deimlo yn ffydd go fawr. Un fel'na oedd Nain. 'Ffydd yn wir yw sail y pethau yr ydys yn eu gobeithio, a sicrwydd y pethau nid ydys yn eu gweled.'

Heddiw, diolch i bobol fel Gwynfor Evans, mae gan actorion a pherfformwyr ifanc rywbeth i anelu tuag ato, gan ei bod yn bosib gwneud bywoliaeth dda o actio ar y teledu. Diolch i bobol fel Wilbert Lloyd Roberts, mae gynnon ni'r Theatr Genedlaethol, fel bod doniau ein gwlad yn gallu byw ar eu talent drwy actio yn llawn-amser mewn theatrau. Dwi'n rhyfeddu heddiw at y fath dalent sydd gynnon ni yn y Gymraeg ac mae'r dalent yma, os nad yn hollol broffesiynol, yn creu amrywiaeth o adloniant o'r radd uchaf. Gair bach personol fan hyn. Mi hoffwn i weld a chlywed llawer mwy o adloniant ysgafn ar y cyfryngau – mae gynnon ni gymaint o dalent.

Nain, felly, heb os, oedd y dylanwad cyntaf a'r mwyaf ar fy nhad. Ei hunig awydd ar y pryd oedd y byddai Nhad yn cael ei werthfawrogi gan gynulleidfaoedd a chan feirniaid mewn eisteddfodau, a byddai clywed pobol yn ei ganmol yn rhoi boddhad mawr i Nain.

Mi fydden ni blant yn mynd i gael swper efo Nain bob nos Fercher, a byddai hi wastad yn dweud, 'Biti na 'sa chi 'di clwad eich tad yn adrodd pan oedd o 'mond rhyw ddeg oed. Doedd 'na neb tebyg iddo fo, pawb 'i ofn o,' beth bynnag roedd hynny'n ei olygu. Mi fyddai hi'n ailadrodd ambell stori dro ar ôl tro, a'r balchder yn llonni ei hwyneb.

Wedi i Nain orffen paratoi'r swper, a hynny mewn padell fawr ddu ar y tân glo, mi fyddai hi wedyn yn ymuno â ni wrth y bwrdd i fwyta. Trafod beth roeddan ni wedi'i ddysgu yn yr ysgol Sul a'r seiat oedd y pwnc cyntaf ar yr agenda bob amser, wedyn pwyslais ar ddysgu adnodau a barddoniaeth. I ysgafnhau'r noson, ar ôl y gwledda, caem gyfle am hwyl a chwerthin wrth i ni i gyd, rhyw bump neu chwech ohonom, wrando ar storïau gan Nain. Nid storïau tylwyth teg oedd y rhain, na jôcs chwaith, ond storïau gwir gan amlaf am y teulu. Mi oedd Nain yn awyddus i ni wybod am ein gwreiddiau a bod gwerth mewn perthyn i deulu.

Yn ystod y cyfnod hwnnw y byddai hi'n dweud wrthon ni am fy nhad. Mi fyddai hi, wrth gwrs, yn siarad am ei phlant eraill hefyd, ond i mi, gwrandawr gorau'r criw, isio gwybod am Chals bach ro'n i. 'Dwi'n cofio sawl un yn trio cael dysgu dy dad i adrodd,' byddai hi'n dweud. 'Mi oeddan nhw i gyd wrth eu bodd yn ei gwmni ac, wrth gwrs, pan oedd o'n cael llwyddiant roedd yr hyfforddwr yn cael llwyddiant yn ei sgil.'

Nain ddywedodd wrthon ni am ddyddiau ysgol Nhad. Er nad oedd pwyslais mawr ar addysg coleg na phrifysgol bryd hynny, bu Nain yn athrawes fro am gyfnod. Roedd Mr John Hughes, prifathro Ysgol Bodffordd, yn benderfynol y byddai pob un plentyn yn gadael yr ysgol yn medru darllen, sgwennu a gwneud syms. Byddai Nain yn poeni ambell noson am fod Chals bach yn hwyr yn dŵad adra o'r ysgol, ond byddai'n cysuro ei hun nad oedd dim byd mawr wedi digwydd iddo ac yn amau'n gryf mai pnawn syms oedd hi yn yr ysgol y pnawn hwnnw. Wrth gwrs, mi oedd hi'n iawn bob tro. Byddai Chals wedi'i gadw ar ôl i orffen gwneud ei syms – ei gas beth o. 'Mi fydda Mr Hughes yn ei gadw ar ôl yn yr ysgol weithia am ddwy neu dair awr i neud ei syms,' meddai Nain. Wedyn mi fyddai yna saib dramatig cyn i Nain ychwanegu'r frawddeg nesaf yn llawn balchder: 'Ond... [saib] os bydda Chals bach adra yn gynnar, awr a mwy o flaen y lleill, ro'n i'n gwbod mai pnawn barddoniaeth oedd y pnawn hwnnw. Chals oedd y gora a'r cynta i ddysgu barddoniaeth.'

Yn ôl Nain, ac mi ategodd fy nhad hynny wrtha i hefyd, roedd Hughes, y prifathro, yn awyddus i glywed plant yr ysgol yn darllen yn uchel. Yn od ac yn rhyfedd iawn, wn i ddim pam, a wnaeth Nain na fy nhad erioed roi eglurhad i mi, yn Saesneg y byddai'r prifathro yn rhoi gorchmynion bob amser: 'It's time to read out loud.' '"Read out loud." Chals bach eto,' meddai Nain, a'i balchder yn cynyddu. 'Fo oedd y darllenwr gora.' Doedd ryfedd felly mai Mr Hughes oedd y cyntaf un i'w ddysgu i adrodd ar gyfer eisteddfodau.

Mi oedd Nain yn amlwg wrth ei bodd pan ddechreuodd gael gwersi gan un o ddynion pwysicaf y pentra, a braint fawr oedd iddo gael mynd i dŷ Mr Hughes, dros y ffordd i'r ysgol, i gael ei ddysgu. Byddai Nain mor falch fod ei hogyn bach yn cael bod ar aelwyd ddiwylliedig a'r dyn mawr yn rhoi gwersi adrodd iddo. Ond er bod Hughes yn ddyn blaenllaw yn y gymdeithas, yn flaenor ac yn godwr canu, roedd Nain 'di ffeindio dyn mwy! Neb llai na William Charles Owen.

Er bod Nain wedi dweud y stori wrtha i am yr hyfforddwr newydd sawl tro, mae'n well gen i fersiwn mwy dramatig fy nhad. Mi ges wybod y stori am yr athro newydd ganddo pan oedd o'n gweithio ar fferm Cerrig Duon. Mi fyddai o'n reidio'i feic i fynd yno, a finna ar y ffrâm, ar draws camp

Mona. Os byddai'r lorri ddu a gwyn fawr yn dangos golau gwyrdd, roedd yn ddiogel croesi'r *runway*, gan nad oedd awyren arall yn mynd i lanio am o leiaf bedwar munud.

Mi ges aml i stori hollol wirion ganddo ar y daith honno, wrth iddo sôn am yr hen gymeriadau. Mi oedd y stori am ei hyfforddwr adrodd newydd yn un o'r rheiny.

Ei enw oedd William Charles Owen. Roedd yn werth bod ar y beic petai dim ond i glywed Nhad yn dweud yr enw yn posh, 'William Charles Owen', neu yn fwy coman, 'Wili Chals Ŵan'. Ond sut bynnag y byddech chi'n ynganu ei enw llawn, fel yr eglurodd fy nhad, 'Doedd 'na affliw o neb yn ei nabod efo'r enw yna.' Mi ddois i ddeall mai Derwydd Gweinyddol Eisteddfod Môn oedd yr athro dan sylw a fo, heb os, fu Archdderwydd mwyaf adnabyddus Eisteddfod Môn hyd heddiw.

'Llew Llwydiarth oedd ei enw fo i bawb,' meddai Nhad, gyda rhyw barchedig ofn a balchder yn ei lais. 'Mi oedd Mr Hughes y sgŵl yn ddyn mawr, ond mi oedd Llew yn fwy ym mhob ystyr – roedd ei gorff yn fwy, ei goesa'n fwy, a'i draed yn lot mwy.' Byddai Nhad yn dweud bod ganddo fo draed mor fawr, er ei fod o'n byw yng Ngharmel, ei fod yn gorfod mynd i Lannerch-y-medd i droi rownd. 'Roedd ei wyneb mawr yn flewog, efo aeliau fatha dau frwsh sgwrio uwchben ei ddau lygad, oedd fatha platia cinio Tresgawan. Ei ben wedyn yn llawn o wallt gwyn cyrliog, hir a blêr, fatha hen ddafad heb ei chneifio ers tair blynadd a hannar.' Dyna i chi ddisgrifiad Nhad ohono. Roedd Nhad yn wirioneddol wych am ddisgrifio. Mi fyddai dafad heb ei chneifio ers tair blynedd wedi bod yn iawn ac yn ddoniol, ond iddo fo roedd tair blynedd a hanner yn ddisgrifiad gwell, ac yn fwy cyflawn.

Nain wedyn yn rhoi darlun o'r gŵr hynod yma dipyn bach yn fwy caredig. 'Roedd presenoldeb ei gymeriad yn hawlio sylw.' Ond roedd Nhad ar y ffordd i Gerrig Duon yn dweud fel roedd o'n gweld y dyn. 'Mi oedd o'n ddyn gwyllt ac yn fyr ei dymer ac efo disgyblaeth lem. Mam yn meddwl mai dyma'r union beth roeddwn i ei angen ar y pryd. Roedd ar lot fawr o blant ei ofn, a fydda fo ddim yn cymryd pawb, ond mi oedd dy nain yn benderfynol y gwyddai'r cawr hwn sut i fy nhrin. Roedd yn rhaid gwrando wrth iddo egluro llinellau pwysig yn y farddoniaeth. Doedd fiw i mi agor 'y ngheg. Bydda Llew yn deud wrtha i, "Cau dy geg rŵan, a dechra adrodd funud 'ma." Ddudis i wrtho fo na fedrwn i adrodd heb agor 'y ngheg. Mi wylltiodd wedyn a throi'n biws a gofyn oeddwn i 'di anghofio pwy oedd o. "Ti'n gwbod pwy ydw i?" fydda fo'n ddeud. Wedyn mi oedd yn anghofio pwy o'n i: "Pwy ti feddwl wyt ti?"'

Roedd Llew yn byw efo'i nith yng Ngharmel, rhyw bum milltir o Lannerch-y-medd, ond er bod Carmel rhyw ddeuddeg milltir o Benffordd, cartra fy nhad, roedd Nain yn mynnu y byddai Chals bach yn mynd i gael ei ddysgu gan Llew.

Mi oedd y diwrnod cyntaf i Nhad ymweld â'r ffau yn dipyn o brofiad. Nhad, meddai o, yn gadael Penffordd ar ei feic ac anelu am Garmel. Wedi cyrraedd y tŷ, curo ar y drws yn nerfus iawn ac mi ddaeth dynes i agor y drws. 'Dewch i mewn,' meddai. 'Ond fedar Dewyrth ddim 'ych gweld chi rŵan. Mi ganith y gloch pan fydd o'n barod.' Mi ganodd y gloch, ac aeth Chals i mewn i'r parlwr tywyll un gannwyll yn grynedig iawn. Mi glywodd lais yn taranu o rywle, heb iddo gael gair o groeso na chyfarchiad yn y byd, dim ond y geiriau, 'Safa yn fan'na.' Nhad yn edrych o'i gwmpas, yn trio penderfynu yn ei ben pwy oedd y llais ac o le ddiawch roedd o'n dŵad. Dyma fo'n mentro rhoi hanner cam ymlaen, cyn i'r daran ei ddychryn eto: 'Safa yn fan'na… yn fan'na yn union. Lle yn byd arall! Yn fan'na a paid â symud.' Mi oedd Nhad isio mynd adra ac mi chwiliodd am ddrws neu ffenest. Mi ddechreuodd hel syniadau mai yn nhŷ'r cawr hwn y byddai o byw am weddill ei fywyd, a'i fam yn cario bwyd iddo fo ar gefn ei beic bob mis, a'i ollwng lawr y simdde.

Ymhen amser, 'rôl hunllef o dawelwch du, mi ddaeth y llais eto. 'Be ti'n adrodd?' Nhad yn dweud beth oedd yr adroddiad, a phwy oedd yr awdur. 'Dechra,' meddai Llew. Er mai Nhad oedd y dysgwr gorau yn yr ysgol, dim ond dwy linell o'r adroddiad fedra fo gofio o flaen yr athro newydd. 'Ia, be sy?' a rhaid oedd iddo gyfaddef, 'Dwi 'di anghofio.' Yn hytrach na thrio'i helpu efo'r llinell nesaf, neu dwi'n siŵr y byddai'r gair nesaf wedi bod yn ddigon... 'O na,' meddai Llew yn hollol ddideimlad, fatha 'sa Nhad yn lwmp o saim. 'Dos adra i'w dysgu hi, a paid dŵad 'nôl tan dy fod ti'n 'i gwbod hi... Dallt?' Bu'n rhaid i'r bachgen bach o adroddwr crynedig, ar ôl adrodd dim ond dwy linell, neidio ar ei feic a mynd adra. Doedd gan ei fam ddim lot o gydymdeimlad chwaith, ond o fewn llai nag wythnos roedd o ar gefn ei feic unwaith eto yn anelu am Garmel i gael gwers arall gan Llew Llwydiarth.

Cwestiwn cyntaf Llew oedd, 'Wyt ti'n ei gwbod hi'n well?' Dyma ddechrau a mynd trwyddi'n dda iawn, heb stop o gwbwl. Llew wedyn yn dechrau newid ambell bwyslais a rhediad ambell frawddeg .'Ti'n 'i deud hi'n rhy araf o lawer,' a'i gyfarwyddo'n ofalus fel'na drwy'r sesiwn. Wedyn dyma fo'n dweud, 'Nei di ddim byd ohoni... Ti'n adrodd reit dda, ond ddim yn ddigon da.' Dro arall mi fyddai o'n dweud, 'Ti'n adrodd yn dda iawn, mi enilli di efo honna,' ac mi fyddai o'n iawn bob tro.

Mi dreuliais oriau gyda Nain yn siarad am fy nhad a'r profiadau a gafodd wrth adrodd a chystadlu. Mi deimlais ei phoen bob tro roedd ei choesau'n troi ar y beic, fel petai'n adrodd cyfrolau am ddechrau taith yr actor a'r digrifwr. Mi brofais a synhwyro ei balchder.

Bu Nain farw pan oedd fy nhad yn 42 mlwydd oed, yn

1957, ac er iddi ymfalchïo bod fy nhad wedi cael cytundeb i weithio gyda'r BBC, 'The Welsh Home Service', a fyddai'n rhoi sicrwydd gwaith iddo fel actor, chafodd hi ddim profi llwyddiant ei llafur, y pedlo di-ildio a'r chwys poeth ac oer am yn ail, wrth iddi frwydro yn erbyn y gwynt a'r glaw rhewllyd yn y gaeaf, ac yna yn haul tanbaid yr haf. Chafodd hi chwaith ddim gweld canlyniad ei doethineb, gyda'i geiriau o anogaeth ar y siwrnai anodd i gystadlu ym mhellafoedd y sir. Welodd hi ddim ac ni chlywodd hi fy nhad yn portreadu ar y radio ac ar y teledu gynifer o wahanol gymeriadau a glywodd yng ngweithdy ei dad. Ddaeth hi erioed i chwerthin am ddireidi Harri Parri, nac i wylo a chydymdeimlo â thristwch *Mr Lolipop MA*. Wyddai hi ddim bod ei mab, a fagodd yn uniaith Gymraeg mewn tyddyn bychan filltir a hanner o Fodffordd, wedi bod ar fferm teulu'r Archers – Saeson uniaith yn Ambridge – am chwe blynedd, ac ynta ddim yn gwybod ystyr llawer iawn o'r geiriau Saesneg roedd yn rhaid iddo'u darllen. Na chwaith ei weld fel Signalman yn *Public Inquiry* ar gyfer y 'Wednesday Play' a'r ddrama Saesneg arall, *Albinos in Black*, yn Llundain. Mi fyddai Nain wedi synnu wrth glywed Chals bach yn actio yn Saesneg.

Yn fwy na dim, chlywodd hi mo fy nhad yn ei chanmol hi wrth rannu storïau efo'i gyd-actorion, gan ddweud mai hi oedd yr un a roddodd iddo'r dechrau perffaith, a hynny ar gefn beic. Ond diolch i drefn rhaglunaeth, mi gafodd brofi un o uchafbwyntiau Nhad – yn ôl Nain, 'un o'r petha gora ddigwyddodd i dy dad' – sef cael ei ddewis gan P H Burton i actio'r cymeriad William Jones o eiddo T Rowland Hughes. Erbyn heddiw mi ŵyr pawb mai dyma'r dyn roddodd y cyfle cyntaf i Richard Burton, ac i'r actor mawr hwnnw fabwysiadu cyfenw P H Burton.

Yn ôl yr hanes, roedd fy nhad yn gweithio ar raglen yn y BBC ym Mangor. Yn ystod adeg panad mi aeth Nhad am smôc a chwrdd â'r actor Idris Griffith, cyn-brifathro o

Fethesda a oedd hefyd yn actor rhagorol. Mi welodd Nhad lond cyntedd o ddynion diarth, er ei fod yn nabod rhai ohonynt. Wedi holi mi ddaeth Nhad i wybod bod 'na ddyn o'r Sowth yn cynnal gwrandawiad. Doedd gan fy nhad ddim syniad pwy oedd y cynhyrchydd, ond mi gafodd wybod gan Idris Griffith mai P H Burton oedd y dyn, ac esboniodd fod Tom Richards wedi gwneud addasiad Saesneg o'r nofel a bod Mr Burton yn chwilio am rywun i actio rhan William Jones. Mi ofynnodd Myfanwy Howells, ysgrifenyddes yn y BBC a hogan o Langefni, tybed a fyddai Charles yn licio darllen am y rhan. Fe wrthododd Nhad, ond gan nad oedd Mr Burton wedi'i blesio efo'r lleill mi berswadiodd hi Nhad i weld y cynhyrchydd. Wedi iddo gael ychydig o gefndir y bennod, roedd am i Nhad ddarllen. Mi ddaeth y golau gwyrdd ymlaen, ac wedi iddo ddarllen darn yma ac acw yn y sgript, mi glywodd lais P H Burton yn cyhoeddi, 'I have found my William Jones.'

11

DYLANWAD TAID AR CHARLES WILLIAMS

Os OEDD NAIN yn ddylanwad arno ar yr aelwyd gartra ym Mhenffordd, gweithdy ei dad roddodd i Charles sŵn lleisiau'r cymeriadau. Teiliwr oedd William Williams, fy nhaid. Piti mawr iddo farw cyn i mi gael fy ngeni, neu mi fyddwn inna hefyd wedi dysgu ganddo ac wedi mwynhau ei gwmni.

Roedd ei weithdy o fewn tafliad carreg i'r tŷ. Yma yn y gweithdy hwn o fore gwyn tan nos y byddai ef a'i hanner brawd, Evan Henry, yn cynllunio a chreu siwtiau dynion o'r radd flaenaf i lu o wahanol gwsmeriaid yr ynys a thu hwnt. Gyda'r nos, y gweithdy hwn oedd man cyfarfod llawer o hen gymeriadau'r ardal. Fan'ma oedd seiat trafod pob dim dan haul, pawb â'i stori a phawb â'i ddull o ddweud stori, pawb â'i ddaliadau crefyddol gwahanol, ambell un yn fwy argyhoeddedig na'r lleill ac un neu ddau anffyddiwr. Byddai ambell un yn trafod pregeth y Sul yn ddi-stop ac yn ailadrodd pennau'r bregeth, gan ddynwared y pregethwr yn mynd i dipyn o hwyl, un arall yn arbenigwr ar greu ac adrodd straeon, tra byddai eraill yn chwarae cardiau'n ddistaw yn y gornel. Ceffylau oedd diléit rhai, a moch eraill. Oedd, roedd pawb yn wahanol ac eto pawb yr un fath... dyna i chi goleg i un oedd â'i fryd ar fod yn ddiddanwr.

Droeon clywais fy nhad yn dweud iddo eistedd 'fatha

teiliwr' yn y gweithdy am oriau yn gwneud dim byd ond gwrando a sylwi. 'Mae hon yn wers i ti, os ti isio bod yn arweinydd,' byddai'n dweud wrtha i – mi oedd arweinydd yn golygu y gallu i ddweud jôcs. Yn fan'no y dysgodd Chals fynegi a llefaru, sut i siarad a gwrando, ac yn y gweithdy yma y daeth i sylweddoli bod llunio stori yn grefft – brawddegau cynnil ac i bwrpas heb wastraffu geiriau – a bod pwyslais yn y lle iawn yn gwneud gwahaniaeth i neges y frawddeg. Fan'no hefyd y dysgodd bwysigrwydd ansoddeiriau er mwyn rhoi darlun perffaith o ardal, cymeriad ac anifail. Yno y dysgodd fod saib a thawelwch am eiliad neu ddwy yn creu chwilfrydedd yn y gwrandawyr. Mi oedd Taid yn feistr ar hyn. Gwyddai i'r eiliad pryd roedd hi'n amser dweud y gair neu'r frawddeg nesaf. Byddai weithiau'n tawelu, jyst er mwyn cael gwrandawiad gwell i'r frawddeg nesaf. Yno'n fwy na dim y dysgodd fod lleisiau'r gwahanol ddynion yn gwneud bywyd yn lot mwy diddorol, ac mor undonog fyddai stori heb yr amrywiaeth lleisiau.

Fel y soniais eisoes, mi oedd fy ewyrth Alun yn actor da iawn hefyd, er na chafodd y cyfle i fod yn actiwr proffesiynol. Byddai wrth ei fodd yn canmol fy nhad. Fyddai fiw i neb ddweud gair drwg am Chals. 'Dwi'n cofio dy dad, 'sdi, Idris,' byddai'n dweud, 'ar ôl bod yn y gweithdy ac wedi bod yn ista am oriau efo llond lle o hen ddynion, yn dŵad adra i'w wely yn hwyr. Roedd y gweddill ohonan ni'n cysgu'n braf ers oria a dy dad yn dŵad i'r gwely a mynnu rhoi perfformiad, bron air am air, o'r hyn roedd o wedi'i glywed yn y gweithdy. Ew, Idris bach, 'sa'n werth i ti glwad o'n dynwarad y dynion 'ma i gyd. Ia, i gyd, 'sdi, nid amball un. Wel, 'sa ti'n taeru mai nhw oedd yn y stafall, 'sdi, wir yr rŵan. Dwi ddim yn cyboli. Wst ti be, mi oedd o'n medru poeri bob yn ail frawddeg 'run fath â Pritchard Graig Fawr, tagu yn ddi-stop fatha Ifan Jôs Tŷ Canol, rhaffu clwydda fatha John Williams Penrallt a smocio piball fatha Yncl Ifan Henry. Wst ti be, mi oedd y diawl bach yn ein cadw ni'n effro weddill y noson, a ninna'n chwerthin dros y tŷ.'

Yn sicr, roedd y gweithdy yn fan delfrydol i un a ddaeth yn hoff o adrodd, actio a chreu cymeriadau ymhen blynyddoedd. Mi fyddai'n dynwared y cymeriadau yma ac eraill yn ddi-stop wrtha i, ac mi allaf eich sicrhau mai o weithdy ei dad y daeth rhai o gymeriadau radio a theledu megis Tomos Gruffydd y saer yn *Blas y Cynfyd* gan Islwyn Ffowc Elis, 'Mae gin ti boint fan'na', 'Dew, 'nes i ddim meddwl 'i fod o cystal point tan rŵan' (wedi clywed rhywun yn dweud hynny roedd o); Ifan Roberts yr hen lanc yn *Yn Ôl i Leifior*; Harri Parri y cadno yn *Pobol y Cwm*; Wil John ddiniwed yn *Nid ar Redeg*; Sion Edward yn *Gwaed yr Uchelwyr*, Saunders Lewis; Y Töwr yn *Gwraig y Töwr*; Crysmas Huws yn *Y Dyn Swllt*, a hefyd yn *Dalar Deg*, Wil Sam; Ted Ifans yn *Minafon*, Eigra Lewis Roberts; Dafydd Robaitsh yn *Hufen a Moch Bach*, y Parch. Harri Parri; heb sôn am ei berfformiad anfarwol o ddiniweidrwydd *Mr Lolipop MA*. Pwy oedd hwnnw yn y gweithdy, tybed? Er, mae'n bwysig nodi nad dynwarediad o un person y byddai o'n ei ddefnyddio yn y dramâu, ond cymysgedd o ddau neu dri, a'r ddau neu dri yn dod yn un. Sylwai ar nodweddion ambell un a chynnwys y rheiny mewn cymeriad arall.

Mae llawer mwy o gymeriadau i sôn amdanynt, ond gallaf eich sicrhau bod llawer iawn o'r cymeriadau hynny a greodd Nhad wedi anadlu gyntaf yn ardal Bodffordd, ar fuarth fferm, mewn marchnadoedd, yn siopau ac ar strydoedd y sir; ble bynnag roedd pobol, yno roedd Chals yn gwrando ac yn sylwi.

12

DYLANWAD AMATURIAID

MAE'N WIR DWEUD i Charles ddod yn adroddwr digri gwych cyn rhagori mewn unrhyw beth arall, a bod dylanwad gweithdy Taid ar ei siarad, ei oslef a'r ffordd y safai yn y perfformiadau hynny. Enillodd sawl gwobr gyntaf mewn eisteddfodau am adrodd digri. Dyna ble cafodd flas ar glywed pobol yn chwerthin. Byddai'n werth ei glywed yn adrodd darnau doniol fel y 'Beautiful Maid', ond 'Jên ni, sy'n un iawn' oedd ei ffefryn, a hynny yn arbennig ar ôl iddo briodi Mam, sef Jini.

Mae Mari Bryn y Llawes
Yn lodas bur ddel,
Ond ladi ydi Mari
Mae hi fel ar fel:
Ei hunan yn lân
Ond wfft am ei chartraf
A'i silff uwchben tân.
'Di ddim yn debyg i Jên
Ddim yn debyg i Jên
Jên ni sy'n un iawn.

Ers talwm, pan oeddwn yn ifanc,
Roeddwn yn dipyn o 'chap';
Mi gerddwn mewn steil drwy y pentre,
A phluen yn ochor fy nghap.
Rhown winc ar y merched wrth basio,
A hwythau yn hyfryd eu gwên,
A balch oeddwn innau o'u gweled
'Nenwedig Jên.

93

Os byddai Eisteddfod neu syrcas
Yn rhywle'n y fro.
Ni fynnwn er dim aros gartre
Awn yno'n hapus am dro.
O'm cwmpas ymgasglai y merched
Pob un yn rhyfeddol o glên
A balch oeddwn innau o'u gweled.
'Nenwedig Jên.

Ond nawr fel pawb rwy'n heneiddio
A llawer arafach fy hynt,
Ac ofer yw ceisio'r difyrrwch
A'r cwmni oedd i mi fel cynt.
Fy nghefn sydd yn crymu gan henaint,
A nesu mae'r trwyn at yr ên
Ond dal mae fy nghalon i garu
'Nenwedig Jên.

Nid adrodd roedd Charles ond perfformio, creu drama fawr mewn neuadd fach, a byddai'r llwyfan yn troi i fod yn blatfform i greu golygfeydd amrywiol. Mi glywais Nain sawl gwaith yn adrodd straeon amdano'n cystadlu ar yr adrodd, a'r beirniaid yn methu deall o ble yn y byd y daeth y fath ddychymyg, y fath ddehongliad. Wel, mi fedra i ddweud wrthoch chi, Mr Beirniad, pwy bynnag oeddach chi, fod y cymeriadau, y seibiadau, y dynwared wedi dod o weithdy ei dad, a fy nhaid inna.

Mi fyddai Nain yn dweud, gyda gwên ar ei hwyneb, na fyddai o'n ennill bob tro, 'a bod rheswm da am hynny. Petai Chals wedi cadw at y dehongliad traddodiadol ac wedi adrodd fel roedd o wedi cael ei ddysgu i neud, posib y bydda fo wedi ennill yn hawdd bob tro.'

Y broblem oedd y byddai o'n cael ei gario allan ymhell o'r lan ddiogel gan y môr o chwerthin. Colli ei ffordd a methu glanio oedd y broblem wedyn. Ar yr achlysuron hynny, er na fyddai'n cael y wobr gyntaf… na'r ail, byddai wedi plesio'i hun ac ennill y gynulleidfa a dyna oedd yn bwysig iddo a dim arall. Ac felly y bu ar hyd ei oes fel diddanwr.

Yn dilyn ei lwyddiant ar yr adroddiad digri mewn eisteddfodau ledled Sir Fôn, daeth gwahoddiadau lu iddo berfformio mewn cyngherddau bach a mawr. Drwy wneud ychydig o enw iddo'i hun, cafodd wahoddiad i ymuno â pharti cyngerdd Mrs Rowlands, yr Emporium, Llangefni. Dyma, mae'n debyg, oedd yr anrhydedd gyntaf a gafodd, gan roi hyder iddo a chreu balchder. Roedd cael ei ddewis i fod ym mharti Mrs Rowlands fel cael ei ddewis heddiw i ymuno â Theatr Genedlaethol Cymru. Doedd 'na ddim yn fwy, gan mai yn y parti hwnnw roedd sêr mwyaf yr ynys, heb os nac oni bai.

Doedd y teledu ddim wedi cyrraedd mwyafrif aelwydydd Sir Fôn, a fyddai sêr enwog radio'r cyfnod byth yn dod yn agos at y pentrefi uniaith Gymraeg yma beth bynnag. Efallai na fyddai'r gynulleidfa am iddynt ddod, gan na fydden nhw wedi'u dallt nhw'n siarad iaith ddiarth ardaloedd eraill. Pan oedd Mrs Rowlands yr Emporium a'i pharti yn dod i'r ysgoldy neu i neuadd bentra, byddai edrych ymlaen mawr a byddai'r bwyd wedi'i drefnu'n ofalus gan y chwiorydd ar gyfer y wledd i'r gwesteion ar ôl y cyngerdd. Rhaid fyddai i bopeth fod yn berffaith, neu efallai na fydden nhw'n ymweld â'r pentra byth wedyn.

Byddai'n rhaid prynu tocyn, a hynny mor fuan â phosib er mwyn osgoi cael siom – un o siomedigaethau mwyaf bywyd oedd methu cael tocyn i gyngerdd parti Mrs Rowlands yr Emporium. Hwyl fawr yn gyntaf wrth sefyll y tu allan i'r neuadd yn disgwyl i'r drysau agor, a hynny am oddeutu awr a mwy.

Mae gen i fy hun brofiad tebyg o hyn. Al Roberts a Dorothy y consurwyr oedd sêr y noson a dwi'n cofio'r noson yn iawn. Ifan Ifas oedd y prif ddyn oedd yn cymryd tocynnau a Llew Hughes fel arfer yn ei gynorthwyo. Wna i byth anghofio Mrs

Lee, nymbyr 8, a fagodd wyth o blant ac a oedd yn byw drws nesaf i Ifan Ifas, dyn y drws, yn dod efo Tomi, ei mab, ac yn rhoi hanner tocyn Tomi, sef tocyn plentyn, yn llaw Ifan Ifas a dweud wrtho bod y ci wedi cnoi ei thocyn hi. Ifas yn pitïo ac yn ei gadael hi i mewn a ninna i gyd yn chwerthin, oherwydd doedd gan Mrs Lee ddim ci... er dwi'n meddwl erbyn hyn fod Ifas drws nesa yn gwybod hynny hefyd. Mi fyddai Nhad yn dweud mai fel yna'n union roedd hi pan fyddai o'n mynd allan efo'r parti.

Roedd parti Mrs Rowlands yr Emporium yn barti poblogaidd a mynnai Mrs Rowlands gael perffeithrwydd yn y drefn, yn yr ymarferion ac yn y perfformiadau. Felly, nid ar hap a chwarae bach y byddai'n dewis aelodau i'r parti – roedd pob aelod yn gantor o fri. Yn wir, roedd y diddanwyr yn enillwyr prif gystadlaethau eisteddfodau'r sir a thu hwnt.

Breuddwyd a gobaith sawl un yn y dyddiau hynny oedd ennill mewn eisteddfodau a chael gwahoddiad i ymuno â'r parti. Dyna oedd gobaith mawr Nain i'w mab, a dyna oedd breuddwyd fy nhad – cael bod ar y llwyfan efo parti cyngerdd – ond roedd cael bod yn aelod o barti enwocaf Llangefni y tu hwnt i'w amgyffred.

Roedd sawl parti adloniant tebyg yn diddanu bryd hynny, ac nid partïon o Langefni yn unig. Byddai neuaddau'r pentrefi yn llawn dop o bobol yn mwynhau yr adloniant amrywiol yn eu bro eu hunain. Ymhen tipyn daeth Charles Williams yn un roedd pawb am ei weld – hwn oedd yr adroddwr digri y soniai pawb amdano. Daeth yn enwog yn y cyngherddau hyn nid yn unig fel adroddwr ond fel arweinydd hefyd. Braint iddo oedd cael sefyll ar y llwyfan a chael pobol i chwerthin, a châi ffi enfawr o hanner coron am ei gyfraniad.

Pan âi'r partïon hyn o le i le, mi oeddan nhw fel sêr teledu neu ffilm. Meddyliwch, o ddifri, pwy fyddai'n dŵad: Myra

Pritchard, soprano; Willie Owen, bariton; a David Williams 'Stamp' Llannerch-y-medd, tenor. Trît i'r werin Gymraeg o bob oed. Gyda'r cwmni hwn y dysgodd Charles ei grefft, sut a lle i sefyll ar y llwyfan a sut i barchu cyd-berfformwyr, cynhyrchydd a chynulleidfa. Ac ynta wedi cael yr ysgol brofiad hon, fyddai o ddim yn meiddio tynnu'n groes, bod yn genfigennus na chwaith meddwl ei hun yn fwy na'r hyn oedd o. Mi ddysgodd barchu pawb a phopeth, ac roedd yn ddiolchgar hyd y diwedd am y profiad amhrisiadwy hwn.

Dwi hyd heddiw ddim yn siŵr a gafodd o'i drosglwyddo i barti arall o Langefni yn swyddogol a dwi ddim yn gwybod a oedd 'na'r ffasiwn beth â *transfer fee*, ond mi wn iddo ymuno â pharti arall – ar fenthyg falla.

Gyda'r parti arall hwnnw y daeth i nabod yr enwog T C Simpson, un a fu'n gyfaill a chyd-ddiddanwr iddo am gyfnod maith. Mi wyddai Nhad yn syth y byddai perthynas glòs a difyr rhyngddo ef a'r anfarwol T C Simpson, Llangefni. Roedd hwn yn un o'r digrifwyr prin yna nad oedd ond yn rhaid iddo ddweud ychydig eiriau a byddai'r gynulleidfa yn eu dyblau yn chwerthin. Roedd gan TC hefyd yr wyneb a'r corff perffaith i greu comedi.

Roedd mwy o bwyslais ar ddigrifwch gan yr ail barti hwn, er bod canu Evan Bach Penlan ei hun hefyd yn denu llawer o bobol i'r cyngherddau. Gŵr ydoedd oedd nid yn unig yn ganwr da ond a oedd yn berfformiwr yng ngwir ystyr y gair. Pan fyddai Penlan wedi bod ar y llwyfan, gwyddai pawb gymaint o ddylanwad y byddai o wedi'i gael. Byddai Nhad yn dweud bod gan berfformwyr heddiw lot i'w ddysgu oddi wrth Evan, fel y gwnaeth o ei hun – bu Evan yn ddylanwad mawr arno.

Yr hyn a ddenodd fy nhad yn fwy na dim at y parti yma oedd Owen Ellis Hughes, dyn naturiol ddoniol oedd yn adnabyddus fel tafleisydd. Fo oedd perchennog y ddwy ddol fawr wnaeth godi ofn arno pan oedd yn blentyn, ond wnaeth fy nhad ddim rhedeg adra y tro hwn. Roedd gan Owen Ellis ddol arall hefyd, a honno ar ffurf plentyn, a chwarae teg iddo, mi dreuliodd dipyn o amser yn dysgu Nhad sut i daflu ei lais efo'r ddol arbennig honno. Wrth ddisgwyl ei dro i fynd ar y llwyfan, byddai Nhad yn eistedd y tu ôl i'r llwyfan gyda'r ddol ar ei lin ac yn siarad efo hi fel petai'n blentyn go iawn, a hitha drwy ryfedd ddirgelwch yn ei ateb yn ôl. Ymhen amser mi gafodd ddol ei hun, ac mae fy nau frawd, sy'n hŷn na fi, yn cofio'r ddol honno'n dda. Byddai Nhad yn eu diddanu gan ei defnyddio hi ar yr aelwyd, ac âi â hi hefyd i ambell gyngerdd... ond daeth stop ar hynny pan ddechreuodd gael trafferth efo'i lwnc, a Mam yn ei rybuddio i roi'r gorau iddi. Ei jôc fawr ar y pryd oedd cyhoeddi, 'Mae'n fy mrifo i ddweud hyn... mae gen i ddolur gwddw.'

Felly roedd galw mawr am Chals, hyd yn oed pan oedd yn ddim o beth. O ganlyniad i'r galw, enillodd boblogrwydd a chafodd wahoddiadau i arwain ac adrodd cyn ei fod yn ddeunaw oed. Dyma'r math o beth na fyddai o byth yn brolio amdano; fyddai o ddim yn clochdar ei lwyddiannau, ond mi wna i yn ei le.

Dwi wedi cyfeirio at ddau barti cyngerdd, ond roedd 'na un arall, a hwn wedi'i sefydlu gan Mrs W J Evans, Tŷ'r Stesion, Llangefni. Hi oedd Telynores Gwyngyll. Un o'r arweinyddion eisteddfod gorau a glywais i erioed oedd Edward Williams, Llangefni, neu, fel roedd pawb yn ei nabod, Ned Siop Grey. Gwyddai holl adroddwyr a chantorion ifanc y sir am garedigrwydd Mr Williams, gan ei fod yn gwybod yn well na neb sut i drin plant. Synhwyrai os oedd plentyn yn fwy nerfus na'r arfer, a gwyddai i'r dim beth i'w wneud a'i ddweud. Roedd Ned yn un o aelodau parti'r delynores enwog. 'Mi gawson ni gyfarfod rhyw noson ac mi benderfynwyd bod angen adroddwr arnon ni,' meddai Ned. 'Tybed fydda dichon cael Chals i ymuno â'r parti oedd y gri, nid yn unig i fod yn adroddwr ond i greu doniolwch yn ogystal,' meddai wedyn. 'Cytunwyd i mi fynd a gofyn iddo, ac felly y bu.'

Hyn, i mi, sy'n brawf o waith fy nhad yn y fro. Pan aeth Ned Williams i'r tŷ roedd Nhad yn ysgoldy capel Gad yn dysgu parti o blant, a pherswadiodd Nain Mr Williams i ista ac aros nes y cyrhaeddai adra. Pan ddaeth Nhad adra ac edrych ar Ned meddai, 'Be ma hwn yn da yma?' Wedi iddo roi ei neges, ateb fy nhad yn wylaidd a hollol onest oedd, 'Mae isio safon efo chi. Rhyw betha neud i bobol chwerthin sgin i, fel y gwyddost ti'n iawn.' Yna arhosodd funud i feddwl beth roedd o wedi addo ei wneud i eraill, cyn gofyn, 'Pa bryd ma'ch cyngerdd nesa chi?'

Ned yn ateb, bach yn grynedig, 'Nos Wenar nesa yng Nghonwy.'

'Faint o'r gloch?'

'Hannar awr wedi saith, car yn cychwyn o'r stesion am chwech.'

Charles druan yn cymryd ei anadl a dweud, 'Mi fydda i yna, rhywsut.'

Bu bron iddo fethu cadw ei addewid, meddai o wrtha i pan holais am y stori. 'Mi ro'n i 'di bod yn gweithio ar fferm Bodwina, Gwalchmai, drwy'r dydd, ac mi oedd 'na dacla ar hyd y ffordd fatha 'sa nhw'n fwriadol yno i fy stopio ac i 'nal yn ôl. Dau lo 'di mynd i'r lôn wrth ymyl Cae Eithin a rhaid oedd i mi eu hel nhw a'u rhoi nhw 'nôl ar y buarth, wedyn pwcs go lew. Mynd fatha sgwarnog efo matsian dan ei chynffon nes i sêt y beic fy ngadael ar allt Pencloc, yna gorfod reidio'n sefyll wedyn heibio Pwros, lawr am 'rallt stesion a bron methu'r gongol am bo fi'n mynd mor gyflym.'

Ond er ei fod yn hwyr, penderfynwyd aros amdano ac mi gyrhaeddodd y stesion erbyn deng munud wedi chwech.

Mi deithiodd lawer gyda'r parti hwn hefyd, ond y *Noson*

Lawen ar y radio ddaeth â Nhad i sylw'r Cymry ledled y wlad. Byddai'n synnu cymaint oedd yn ei nabod heb iddynt erioed ei gyfarfod, na chwaith ei weld.

13
NOSON LAWEN Y BBC

YN DILYN EI lwyddiant fel perfformiwr amatur hynod o dda
y daeth Charles Williams yn un o griw *Noson Lawen* y BBC.
Cafodd y ffarmwr bach cyffredin rŵan ei alw i fod yn rhan o
griw sydd wedi agor y drws i holl artistiaid Cymru heddiw.
Does dim amheuaeth mai'r *Noson Lawen* ddaeth â Nhad i
sylw'r Cymry. Daeth yr adroddwr digri o Fodffordd, oedd yn
seren mewn cyngherddau ac eisteddfodau ar yr ynys, yn arf
pwysig yn llaw y crefftwr Sam Jones.

Nid y *Noson Lawen* oedd y llwyfan cyntaf oll i arddangos
ei dalent i'r BBC, ac nid fo chwaith oedd arweinydd cyntaf
y *Noson Lawen*. Yn ddiddorol, drama ddaeth ag o i sefyll o
flaen meicroffon gyntaf oll, ac yn eironig, fel rhan Ned Stabal
mewn addasiad o *O Law i Law* gan T Rowland Hughes.
Cymeriad delfrydol iddo. Mi drodd y stiwdio'n stabal ac yn
fuarth fferm o fewn y geiriau cyntaf, ac am gyfnod roedd o'n
meddwl bod y cymeriad wedi cael ei sgwennu yn arbennig
iddo fo. Y cynhyrchydd oedd Sam Jones, a dyna pryd y
cyfarfu Charles â'r dyn a'i gwnaeth yn un o arweinyddion
mwyaf adnabyddus Cymru.

Mi welodd Sam Jones naturioldeb fy nhad fel y darn
olaf yn jig-so y *Noson Lawen*. Roedd eisoes wedi llwyddo
i berswadio'r artistiaid eraill, ond roedd angen arweinydd
oedd yn nabod y werin arno, un fyddai'n medru cyfathrebu'n
naturiol efo'r genedl. Mi ddaeth y *Noson Lawen* o Neuadd y
Penrhyn, Bangor, yn drysor cenedlaethol.

Mae John Roberts Williams wedi ysgrifennu ar glawr y record i goffáu'r hen *Noson Lawen* fel hyn: 'Ar derfyn y Rhyfel roedd yn gyfnod da i ddigrifwyr, diddanwyr a thynwyr coesau, ac i bobol a hoffai wneud sbort am ben pobol a phethau... Gyda'r cefndir yma ymledodd y *Noson Lawen* fel gwên fawr dros Gymru.'

Dwi'n hoff iawn o'r disgrifiad hwnnw: y *Noson Lawen* yn ymledu fel gwên fawr dros Gymru. Dyna'n union oedd hi. Meddyliwch am griw *Noson Lawen* Sam Jones, oedd i'w chlywed ar y radio'n fyw yn y 1940au: Triawd y Coleg â'u caneuon ysgafn, doniol; y Co Bach a'i fonologau swreal yn iaith y Cofis, gyda llinellau doniol un ar ôl y llall; Bob Roberts Tai'r Felin gyda'i ganu baledi gwerinol, a'i lais yn gweddu mor naturiol i ganeuon megis 'Mari Fach Fy Nghariad' a 'Moliannwn'; T C Simpson wedyn, y postman doniol o Langefni, gyda'i lais main, a'i gorff yr un mor fain, dyn doniol o'i ben i'w draed; Megan Rees hitha yn creu cymeriadau doniol mewn sgetsys byrion, gydag Ieuan Rhys Williams, y cawr o actor oedd yn un o'r goreuon am bortreadu gwahanol leisiau, o ddyn bach diniwed i fonheddwr pwysig; a Charles yn gapten ar y llong codi hwyl yma, yn ffraeth, ac yn feistr ar ei waith. Byddai Ffrancon Thomas a Maimie Lloyd Jones yn chwarae'r ddau biano yn rhyfeddol o gelfydd. Fedrech chi ddim peidio gwenu wrth glywed y ddau biano, fel petaent yn siarad efo chi.

Torri tir newydd wnaeth yr arloeswr Sam Jones, a mawr yw ein diolch fel Cymry iddo am ei weledigaeth a'i ffydd yn yr hyn a gredai fyddai o werth mawr i ddiwylliant ac adloniant yn yr iaith Gymraeg. Gwnaeth Mr Jones yn fawr o'r talent, a'r talent hwnnw bron i gyd yn dod o blith amaturiaid. Fo wedyn yn eu hyfforddi i gynhyrchu cyfresi radio, oedd cystal os nad gwell na'r llu o raglenni ysgafn a gâi eu cynhyrchu yn Saesneg ar yr Home Service. Mi ddywedodd fy nhad sawl gwaith fod Mr Jones, er ei fod yn cadw llygad barcud ar bopeth oedd yn digwydd, wedi rhoi rhwydd hynt iddo ef ac i eraill greu, sgwennu a pherfformio yn ôl eu gweledigaeth.

Gweithio ar y fferm roedd fy nhad, ac ynta heb fawr o addysg, pan gyfarfu â chriw y *Noson Lawen* gyntaf. Roedd dipyn yn bryderus am na wyddai'n iawn beth oedd yn mynd i ddigwydd. Tybed oedd y cynhyrchydd yn mynd i roi deunydd iddo ei ddarllen? Beth pe na bai'r deunydd at ei dast? Beth petai'n cael ei orfodi i wneud yr hyn roedd y BBC yn ei ddweud wrtho wneud a dim arall?

Gwyddai, wrth reswm, mai anrhydedd mawr oedd cael bod ar y weiarles a rhaid oedd bod ar ei orau. Doedd cerdded ar lwyfan Eisteddfod Marian-glas neu Landdona ddim yn boen yn y byd iddo. Doedd arwain cyngherddau yn ysgolion Llangristiolus a Bryngwran fawr o drafferth iddo chwaith, gan ei fod yn ei elfen yno a'r cynulleidfaoedd yn mwynhau ei berfformiadau. Ond beth oedd yr her y tu ôl i ddrysau mawr trwm Neuadd y Penrhyn, Bangor? (Cyn hyn, ym Mryn Meirion, Bangor Uchaf, y byddai'r rhaglenni'n cael eu cynhyrchu.)

Dwi'n cofio fel ddoe Nhad yn sôn am y profiad a gafodd o agor drysau'r neuadd am y tro cyntaf, a hynny pan oeddwn inna'n mynd i'r adeilad enwog am y tro cyntaf i ddarlledu, yn un ar bymtheg oed. Cerdded o'r orsaf fysys i gyfeiriad y neuadd enwog oeddan ni. Dyma fo'n stopio a phwyntio ei fys a dweud, 'Dacw hi, yli. I fan yna ti'n mynd.'

'Be?' meddwn inna. ''Dach chi ddim yn dŵad efo fi?'

'Dew annw'l, nag'dw. I be? Dy enw di sydd ar y sgript, yn te?' meddai o. 'Gorfod mynd fy hun 'nes i pan o'n i tua'r un oed â chdi, a nath o ddim drwg i mi, naddo? Mi fyddi di'n iawn. Os na fyddi di, chei di ddim dŵad yn ôl yma eto, felly paid â poeni.'

'Ew, Dad,' meddwn i, 'dwi'n sâl. Dwi ddim 'di teimlo

mor nerfus 'rioed o'r blaen. 'Sa'n well i ni fynd adra efo'r bỳs nesa?'

'Fel yna'n union ro'n i'n teimlo, 'sdi, pan ddois i yma gynta. Mi oedd y drysa mawr 'na weli di yn fan'na fatha drysa jêl Biwmares, a crogi pobol oeddan nhw yn fan'no, 'te. Mi oedd gin i ddolur gwddw wrth feddwl am y peth.'

Yna dechreuodd y ddau ohonan ni chwerthin.

'Wedyn,' meddai o, gan fynd 'nôl at y profiad cyntaf 'na, "rôl manijo i agor y drws mawr trwm, be oedd yn fy ngwynebu tu fewn ond dau ddrws arall yr un mor fawr, ond ddim cweit mor drwm. Dew, medda fi wrtha fy hun, lle bach iawn ydi'r Penrhyn Hall 'ma, tŷ bach ar y chwith a dyna fo, fedra nhw ddim cael lot o bobol i le fel hyn. Lle mae'r stêj, a'r cadeiria...? Wedyn mi ddois i ddallt mai yn y ffoier oeddwn i. Dyma ddrws yn agor i'r dde i mi fel'na, a'r ddynas 'ma, sef Myfanwy Howells, yn deud, "Helô, Charles, 'dan ni'n disgwyl amdanoch chi."'

Mi aeth Nhad ymlaen i ail-fyw ei brofiad cyntaf o'r *Noson Lawen* air am air efo fi sawl tro, er y byddai'r lliwiau'n wahanol bob hyn a hyn.

Unwaith yr aeth i mewn roedd yn teimlo'n lot gwell, oherwydd mi welodd y llwyfan mawr, y cyfeilyddion yn ymarfer a dynion yn gosod weiars a meicroffons o amgylch y lle. Mi gafodd gynnig panad o de gan ddyn yn gwisgo côt frown laes, ac wrth edrych o'i gwmpas mi welodd fod pobol oedd yn mynd i berfformio ar y weiarles i'r BBC yn gwisgo ac yn edrych yn debyg iawn iddo fo'i hun.

Dim ond un o'r triawd oedd wedi cyrraedd, a Robin Williams oedd hwnnw. Wel, ardderchog, dim ond cwta fis yn ôl roedd y ddau wedi rhannu meicroffon ym Mryn Meirion, gan mai Robin oedd y storïwr yn y ddrama *O Law i Law*. Pan ddaeth y ddau arall, sef Cledwyn a Merêd, fu erioed fyfyrwyr mwy gwerinol ar wyneb y ddaear.

Buan iawn y diflannodd yr holl ofnau pan ddaeth

Richard Hughes, y Co Bach, i mewn, yna ei gyfaill T C Simpson o Langefni, a'r cyfan yn un boddhad mawr. Yna daeth Bob Roberts Tai'r Felin yno a chyflwyno'i hun efo'i fraich allan: 'Bob 'di'r enw a Bob ma pawb yn 'y ngalw fi. Pwy 'dach chi?'

'Chals dwi.'

'Ga i'ch galw chi'n Chals?' meddai Bob.

'Cewch tad, Chals 'di f'enw i.'

Mi fu'r ddau'n siarad a rhannu profiadau am ffermio a sôn am gymeriadau gwerinol bob cyfle a gaent drwy'r pnawn. Bob Roberts Tai'r Felin dawelodd nerfau ac ofnau Charles Williams y pnawn hwnnw, a dwi am fentro dweud, petai gorfodaeth ar fy nhad i enwi'r deg uchaf iddo fwynhau eu cwmni, mai Bob Roberts Tai'r Felin fyddai ar y brig.

Mae Dafydd Iwan yn dweud mai Bob Roberts Tai'r Felin oedd y canwr pop Cymraeg cyntaf. Roedd Dafydd, fel miloedd o rai eraill, wedi clywed Bob yn canu ar y radio a phan ddaeth Bob i'w ardal i ganu, dyna'r tro cyntaf i Dafydd weld torf yn rhedeg ato i gael ei lofnod.

Dwi ddim yn gwybod am neb yma yng Nghymru oedd yn cael ei wylio gan berfformwyr eraill yn fwy na Nhad, ac roedd o, fel y byddai digrifwyr yn galw Tommy Cooper, yn 'the comedian's comedian'. Mi brofais hyn am fy nhad sawl gwaith. Mi welais yr artistiaid eraill yn dŵad o bob cyfeiriad i wrando arno: gwylio, gwrando a gwerthfawrogi. Unwaith y byddai'n dechrau jôc mi fyddai'r gynulleidfa'n barod ar ochor eu seddi yn disgwyl yn eiddgar am y gair neu'r frawddeg nesaf, fyddai'n arwain y stori ddigri roedd Charles yn ei chreu yn ei blaen. Aros am yr ergyd i roi diweddglo perffaith i'r stori fyddai pawb, wrth gwrs.

'O'n i'n cerddad lawr stryd Llangefni bora 'ma, a dyma fi'n gweld...' Pwy tybed oedd Chals 'di weld? oedd ym meddwl pawb yn y gynulleidfa. Beth tybed ddywedodd y person wrtho? Roedd ganddo ddawn anhygoel i ddal cynulleidfa, sy'n hanfodol i ddigrifwr.

Mi fyddai sgetsys y *Noson Lawen* yn cael derbyniad da, a Nhad yn chwarae rhan allweddol ynddynt. Dyma i chi stori y byddai Nhad yn ei dweud amdano fo a T C Simpson, er dwi ddim yn meddwl i'r stori ddatblygu yn sgets radio erioed. Fel yna roedd fy nhad os byddai o wedi clywed stori dda, neu wedi meddwl am stori. Cofiwch, byddai'n rhaid i'r stori honno fod yn gredadwy, a'r ffordd orau i sicrhau hynny oedd meddwl am gymeriad fyddai'n siwtio'r stori. Felly, gan fod y stori hon yn galw am dipyn o gymeriad, pwy yn well na T C Simpson?

TC yn dysgu Nhad i neidio allan o awyren pan oedd yn yr awyr yw cefndir y stori.

'Chitha, Mr Willias, wedi cael maes awyr yn Mona 'cw. Mi fydd yn rhaid i chi felly fynd i fyny mewn eroplên, er mwyn i chi ddysgu neidio allan ohoni hi.'

'Dwi ddim isio neidio allan o eroplên, TC.'

'Be 'dach chi am neud, aros i fyny 'na am byth efo pobol yn fflio bwyd atoch chi? Gwrandwch rŵan, na, mi fydd yn rhaid i chi neidio allan o'r plên o 25,000 o droedfeddi i fyny yn yr awyr, ond chewch chi ddim agor y parasiŵt tan eich bod chi ddeg troedfadd o'r ddaear. Sneb 'di neud hyn o'r blaen, mi fydd hyn yn torri record y byd, a 'dach chi'n siŵr o fwynhau'r profiad.'

Nhad erbyn hyn yn edrych mewn sioc a'r gynulleidfa yn glana chwerthin. Charles efo amseriad perffaith yn tapio TC ar ei ysgwydd. Hwnnw'n troi rownd a'i wyneb yn adrodd cyfrolau.

'Ydw i 'di gofyn rhywbeth od?'

Charles yn gofyn i TC ailadrodd yr hyn roedd o am iddo'i wneud, ac yn sylweddoli y gallai hynny fod yn beryglus.

'Ol be?' meddai TC. 'Be sy'n bod? Gwrandwch, ma'r holl beth yn syml. 'Dan ni'n anelu at dorri record y byd fan hyn.

Aiff y plên â chi i fyny ac ar ôl cyrraedd 25,000 o droedfeddi byddwch chi'n neidio allan, yna pan 'dach chi ddeg troedfadd o'r ddaear 'dach chi'n agor y parasiŵt. Sneb 'di neud hyn o'r blaen! Mi fydd hyn yn creu record byd.'

'Ond be tasa'r parasiŵt ddim yn agor?'

'Wel diawch, ddyn, mi fedrwch neidio o ddeg troedfadd, medrwch!'

Rhaid cofio bod dau griw *Noson Lawen* yn bodoli ar y pryd, a'r criw fyddai ar y radio oedd un, yn cynnwys Triawd y Coleg. Roedd criw arall a oedd yn cynnwys rhai o'r criw ar y radio megis Richard Hughes, y Co Bach, Bob Roberts Tai'r Felin, y Tri Tenor o Dregarth a John Thomas Maes y Fedw, gyda T Gwyn Jones, hefyd o Dregarth, yn cyfeilio. Dyma'r criw fyddai'n teithio ran amlaf, ac mi fyddai Nhad yn arwain y ddau barti.

Alla i ddim ond dychmygu'r hwyl oedd i'w chael wrth deithio o le i le. Roedd Richard Hughes, y Co Bach, er enghraifft, yn ddyn ffraeth iawn, â hiwmor sych, di-wên, yn ôl yr hyn a glywais sawl gwaith gan fy nhad, a'r dyn mwyaf doniol ar wyneb daear. Mi fyddai llond car o bobol yn glana chwerthin wrth wrando arno'n adrodd straeon am gymeriadau'r Felinheli, lle'r oedd yn rheolwr siop y Coop.

'Ydyn nhw'n claddu efo ham yn Sir Fôn, Charlie? Mae pawb yn Felinheli yn claddu efo ham, ia, *boiled* ham... clwad y fodan yn siop acw un diwrnod yn siarad efo fodan arall. "Gweld bo chi 'di prynu pedwar tun o ham," meddai. "Ydi'r gŵr ddim yn dda?"'

Mi oedd Nhad wrth ei fodd efo straeon bach fel'na.

'Hen foi o Felin 'cw, Charles. Wst ti be ydi 'i hobi fo? Mynd i angladda, 'chan... Ia, wir 'ŵan. Un stori amdano, pan o'dd petha'n anodd, fel gwyddost ti. 'Ma fo'n deud 'tha fi ei fod wedi bod mewn angladd cythreulig o posh, ia, posh medda fo eto. Mi oedd 'na dri math o driping yna.'

Neu hon: 'Yr hen Doli Pritchard yn mynd i ymweld â'i

ffrind 'rôl iddi golli ei gŵr, a hwnnw'n gorwadd yn yr arch, ac meddai Doli, "Dew, 'nes i ddim 'i nabod o heb 'i gap. Tydi o'n edrach yn dda? Mi nath yr wsnos 'na yn Colwyn Bay fyd o les iddo fo."'

'Ti 'di sylwi, Charli, y pedwar gair pwysig i wragadd gweddw yn ystod y mis cynta ydi "Dyna 'sa fo isio." Gweddw yr hen Goronwy yn prynu côt ffyr a mwclis a geriach felly a mynd ar ei gwylia i'r cyfandir, a dyna ddudodd hi wrtha i, "Dyna 'sa fo isio," er nath Goronwy erioed fynd â hi ymhellach na Llanfairfechan.'

Cymeriadau eraill ar y daith oedd y Tri Tenor o Dregarth. Byddai'r hogia yma'n dod â chymeriadau Chwarel y Penrhyn yn fyw, ac mi wn o brofiad i Nhad fanteisio ar hiwmor y chwarelwyr wrth ddweud ei jôcs.

Cymeriad o'r chwarel am gael ei bwyso, ac yn mynnu gwneud hynny ar glorian fawr y chwarel, clorian a gâi ei defnyddio i bwyso tunelli o lechi'r chwarel fel arfer. Dyma osod y glorian a rhoi'r pwysau addas yn eu lle.

'Dyna ti, Dic, dwy dunnall rwyt ti'n bwyso.'

'Dew,' meddai Dic. 'Dwi 'di colli tunnall mewn blwyddyn, felly.'

O, am oriau o chwerthin efo straeon am hogia chwarel Bethesda.

Mae 'na stori wych am Dic a Sam. Roedd Dic yn byw ym Methesda a Sam yn Nhregarth, ac mae'n debyg bod y capel roedd Sam yn ei fynychu yn nhop Tregarth i'w weld o dŷ Dic.

'Dwi 'di cael sbenglas newydd,' meddai Dic. 'Wyddost ti 'mod i'n medru sbio drwyddyn nhw pen rong, a dwi'n gweld dy gapal yn blaen... ac os troia i nhw ffordd iawn, dwi'n clwad chi'n canu.'

Dyma stori wych ddywedodd T Gwyn Jones, y cerddor a'r pianydd adnabyddus, am Twm Dan Din o Fethesda a oedd wedi gadael cartra am gyfnod go hir. Ffraeo wnaeth y teulu am nad oedd o'n fodlon gweithio a gwneud pres at ei gadw. Un diwrnod dyma fo'n gwylltio, codi'i bac a mynd. Doedd neb yn gwybod i ble'r aeth o. Ond pan ddaeth o adra i Fethesda yn ôl wedi misoedd i ffwrdd, dyma'i deulu fo i gyd yn ei anwybyddu, gan wrthod dweud dim wrtho na gwneud dim byd ag o. Ond pan welodd yr hen gi bach Twm, rhedodd hwnnw ato a'i lyfu'n ddi-stop, gan ysgwyd ei gynffon yn groesawgar. Meddai Twm yn uchel, fel bod pawb yn ei glywed, 'Biti ar y diawch na fasach chi i gyd yn gŵn yn y lle 'ma.'

Hiwmor y chwarel ar ei orau. Hiwmor iach a glân. Wrth sôn am gymeriadau Bethesda, cofio Nhad yn sôn am y Parch. John Alun Roberts yn adrodd stori am ŵr a gwraig adeg streic Chwarel y Penrhyn. Roeddan nhw mewn tlodi mawr, a'r wraig yn gofyn i'w gŵr un noson oer yn y gaeaf, 'Be gawn ni i swpar heno, d'wad?' Ac meddai ynta, 'Wn i'm yn dyn, berwa ddau ornament i'r diawl.'

Pan oedd criw y *Noson Lawen* yn teithio, a theithio 'mhell iawn ar adegau, byddai'n rhaid aros dros nos yn rhywle. Fel arfer, aros efo gwirfoddolwyr a charedigion y gwahanol ardaloedd oeddan nhw, yn hytrach nag mewn gwesty crand.

Byddai Nhad wrth ei fodd yng nghwmni'r anfarwol Bob Roberts Tai'r Felin, dyn nad oedd byth yn ceisio sylw iddo'i hun, na chwaith yn ceisio bod yn ddoniol. Roedd yn ddyn naturiol ddoniol o'i ben i'w sawdl. Efo Bob y byddai Nhad yn rhannu stafell wely fel arfer; i fod yn hollol onest, efo Bob roedd o'n cysgu. "Sdim lot o bobol fedar ddeud eu bod nhw wedi cysgu efo Bob Robaits Tai'r Felin.'

Rhaid i mi yma ailadrodd y stori wych am Bob a'r criw yn gwneud ffilm yn Llundain. Caiff y ffilm enwog hon ei hailddarlledu yn achlysurol ar S4C, a gan fod deunydd ffilm archif o griw y *Noson Lawen* mor eithriadol o brin, mi ddangosir clipiau o'r ffilm hanesyddol hon. Ffilm ydi hi gafodd ei ffilmio yn 1949. Stori gan Sam Jones yw hi, yn cyd-fynd â'r ymgyrch Cynilion Cenedlaethol. Mae Ifan, mab fferm (Meredydd Evans) yng Nghymru, yn breuddwydio am fywyd academaidd. Mae'r fam (Nellie Hodgkins), ei wraig (Meriel Jones) a'r tad (Ieuan Rhys Williams) yn gwario pob ceiniog o'u heiddo i dalu iddo fynd i'r brifysgol, ac yn ofni'n ddirfawr na fydd yn pasio'r arholiadau ac y bydd eu haberth wedi bod yn ddiwerth. Fel y mae'r tad yn cyfri'r cynilion am y canfed tro mae'r bostfeistres (Emily Davies) yn cyrraedd gyda newyddion syfrdanol fod y mab wedi pasio. Wedi'r seremoni mae Ifan yn cyflwyno ffrindiau o'r coleg, Emlyn (Cledwyn Jones) a Hywel (Robin Williams), i'w fam, ei dad a'i daid, Robert Roberts (Bob Tai'r Felin). I ddathlu mae 'na barti ar yr aelwyd, ac mae'r tri myfyriwr yn canu, ac yn galw eu hunain yn Triawd y Buarth. Hefyd yn canu mae Taid, sef Bob Tai'r Felin.

Mi ganodd Bob Roberts yn wych, fel arfer, ond gan mai ffilm roeddan nhw'n ei gwneud, roedd yn rhaid saethu'r olygfa sawl gwaith o wahanol onglau, a'r cyfarwyddwr yn dweud wrth Bob, 'Sing it again.'

'Na, wna i ddim,' meddai Bob. 'On'd tydw i 'di chanu hi unwaith, i be wna i 'i chanu hi eto? 'Sna ddim synnwyr yn y peth o gwbwl. Wna i ganu cân arall i chi, ond dim 'run un, siŵr iawn. Hen beth gwirion fasa hynny, siŵr i chi.'

Efallai eich bod chi eisoes wedi darllen y stori am Bob Roberts yn cael gwahoddiad gan y BBC i ganu yn yr Alexandra Palace Theatre, a hynny yr un pryd â phan oedd y criw yn ffilmio y *Noson Lawen*. Erbyn hyn roedd yr adeilad godidog hwn wedi'i adnewyddu ar ôl tân a ddinistriodd rannau helaeth ohono bum mlynedd yn gynharach. Mi wnaeth y BBC logi rhan sylweddol o'r adeilad, ac yma yn yr adeilad hwn roedd dechrau cyfnod newydd ym myd darlledu, fel mae'r plac glas ar ochor yr adeilad yn ei ddynodi.

Mynnodd Bob bod fy nhad ac eraill o'r criw yn mynd gydag o, i gadw cwmni iddo. Wedi iddo ganu ei gân yn yr ymarferion daeth Joan Gilbert ato am sgwrs. Roedd Joan yn enwog am ei gwaith fel cynhyrchydd cyfres boblogaidd *In Town Tonight*, er mai fel ysgrifenyddes y câi ei chyflogi. Hi yn bennaf oedd yn gyfrifol am lwyddiant y gyfres, a gâi ei darlledu o'r 1930au ymlaen. Hi hefyd oedd yn cyflwyno, cynhyrchu a golygu cyfres arall boblogaidd, *Picture Page*, o 1946. Mae'n ddigon posib mai dyma'r gyfres y canodd Bob ynddi.

Daeth Ms Gilbert at Bob i ddiolch iddo.

'Hello, Bob,' meddai'n barchus a serchus. 'May I call you Bob?'

'Certainly,' meddai ynta, 'Bob's my name.'

'What were you singing about?' gofynnodd hitha.

'O,' meddai Bob, 'it was Mari Fach. Oh yes indeed, my Mari Fach. I was courting with her, and she turned me down.'

'So Bob, you haven't got anybody now?'

'No,' meddai Bob a gafael amdani. 'But I could use you, too.'

Mi oedd Nhad yn arfer adrodd llawer o straeon am Bob Roberts ac mae'n amlwg ddigon mai yn ystod y nosweithiau o gysgu gyda'i gilydd y caent yr hwyl fwyaf. Y peth cyntaf y byddai Bob yn ei wneud wedi mynd i'r llofft oedd edrych o dan y gwely. Doedd o ddim yn ffansi mynd allan i waelod yr ardd ganol nos.

'Dydi o ddim yma! Be 'na i? Dydi o ddim yma! Tydach chi'n gwbod yn iawn bo rhaid i mi 'i gael o. On'd tydw i'n codi yn nos! Be 'na i? Be 'na i?'

Nhad yn ei gynghori i fynd i ben y grisiau a gofyn i wraig y tŷ.

'Wel ia, 'te, gofyn fydda ora. Ond sut gofynna i? Hen air hyll 'di pot.'

Mi aeth i ben y grisiau a gweiddi 'Meistres, meistres, ble ma partner y jwg a'r basin, os gwelwch yn dda?'

Nhad yn aros ar ei ben ei hun unwaith yn y Canolbarth, mewn tŷ gwely a brecwast swyddogol. Fyddai hynny ddim yn digwydd yn aml. Yn y dyddiau hynny, cyn bod sôn am 'iechyd a diogelwch', mi fyddai rheolau caeth i'w cadw gan berchennog y tŷ wrth aros mewn llety felly. 'Cofiwch,' meddai'r ddynes fach, perchennog y busnes, 'ma bath yn swllt ychwanegol, a 'sna 'ma ddim dŵr poeth tan ar ôl saith... ac os y'ch chi'n iwsio'r pot o dan y gwely, cofiwch roi y caead yn ôl arno fe 'rôl gorffen, achos ma'r stêm yn rhydu'r springs.'

Roedd yn arferiad i'r gymdeithas oedd wedi rhoi gwadd i'r criw wneud swper ar ôl y cyngerdd, a swper gwerth ei gael oedd o, mae'n debyg. Roedd Bob Tai'r Felin yn fytwr mawr. Byddai Bob yn gwledda, ac yn dal i wledda ar ôl i bawb arall orffen. Gwyn Tregarth yn tynnu ei goes o un noson, pan oedd pawb arall wedi gorffen bwyta, a mynd ato efo llond plât mawr o gacennau o bob math.

'Dowch, dowch, Bob Roberts, cymrwch hanner dwsin.'

'Na, na,' meddai Bob, 'mi gymra i bump 'li.'

Un arall o gwmni'r *Noson Lawen* oedd Huw Jones, oedd yn adnabyddus fel y Parch. Huw Jones, y Bala, lle bu'n weinidog am flynyddoedd. Huw bach oedd Tomi y ddol yn sgets enwog y *Noson Lawen*. Bu Nhad ac ynta mewn llu o raglenni *Awr y Plant* ar y radio o Neuadd y Penrhyn, Bangor. Un o'r cyfresi hynny oedd hanes Wil Cwac Cwac – Charles oedd Sioni Ceiliog Glas a Huw oedd Wil Cwac Cwac. Dywedodd Nhad wrtho fo unwaith, 'Dwi 'di meddwl sawl tro, Huw, 'sa ti'n gwneud doctor iawn, ond cofia, ti'n llawer gwell Cwac!'

Roedd Huw, heb os, yn un o arweinyddion gorau'r eisteddfodau bach a mawr; roedd yn mynnu trefn, ac yn mynnu chwarae teg i'r holl gystadleuwyr. Pan fyddai saib yn y cystadlu, neu pan fyddai'r beirniad wedi diflannu i rywle, byddai Huw yn llenwi'r bylchau gyda stori neu ddwy yn ôl y gofyn, a dim mwy. Roedd ganddo ddawn arbennig i adrodd stori ddoniol. Yn fwy na dim arall, fo oedd tynnwr coes y cwmni *Noson Lawen*. Cafodd fy nhad flas ar ei dynnu coes un noson, a hynny yn Aberllefenni.

Roedd fy nhad a T C Simpson yn mynd i fod yn hwyr yn cyrraedd, oherwydd gorchwylion eraill i'r BBC ym Mangor. Ar ôl iddyn nhw gyrraedd a mynd ar y llwyfan i ddweud ychydig o jôcs, yn wahanol iawn i'r arfer chafwyd dim ymateb o gwbwl gan y gynulleidfa. Dyma drio dwy neu dair jôc arall, ond dim ymateb. TC a Charles yn gwneud sgets, neb yn chwerthin, ac mi ddaeth y ddau oddi ar y llwyfan yn reit ddigalon, a Charles yn dweud wrth Huw, 'Cynulleidfa anodd heno, Huw bach. Be sy'n bod arnyn nhw, d'wad?' Huw yn ateb gan chwerthin, 'Fi, Charles, sy wedi deud dy jôcs di cyn i ti gyrradd.' Toedd isio gras! Hyd yn oed wrth ddelio â gweinidog yr Efengyl!

14

CHARLES A DIGRIFWYR
DDOE A HEDDIW

ERBYN HEDDIW MAE'R byd comedi wedi newid llawer iawn ac wrth sgwennu'r cofiant hwn rydw i wedi bod yn meddwl tybed sut byddai Nhad yn ymdopi ym myd y comedi newydd. Wel, mi oedd ganddo ddigon o ddeunydd a ffynonellau.

Roedd fy nhad, erbyn canol y 1950au, wedi gwneud enw iddo'i hun ar y radio ac ar y llwyfan; fo, yn wir, oedd Mr Digri Gogledd Cymru. Roedd 'na eraill yn y De a'r Canolbarth oedd cystal, mae'n siŵr.

Mi fagodd chwech ohonan ni blant mewn tŷ cyngor hollol gyffredin. Doedd dim byd yn posh am Nhad, na Mam o ran hynny, ac felly roedd digon o sgôp ar yr aelwyd iddo fo, ac unrhyw ddigrifwr arall, greu jôcs, ac mi wnaeth. Mi fyddai o'n dweud straeon am Mam, a honno wrth ei bodd. 'Sbïwch ar Jini 'ma. Tydi hi'n edrach yn dda? Byta lot o gnau i gadw'n heini, 'lwch, ia tad... Welsoch chi 'rioed fwnci yn gwisgo staes, yn naddo?'

Roedd ganddo ffordd o ddweud straeon, fel petai'n peintio darluniau yn ei ben cyn agor ei geg. A dyma i chi wirionedd od: mi fyddai o ar y llwyfan o flaen cynulleidfa yn disgrifio ein tŷ ni. Ia, disgrifio'r tŷ lle ro'n i'n byw, yn bwyta a chysgu, ond doedd ei ddisgrifiadau yn ddim byd tebyg i'n tŷ ni go iawn, ac eto, wrth wrando arno, mi oeddwn i'n credu ei ddisgrifiad, a chredu 'mod i'n byw yn y tŷ roedd o'n ei ddisgrifio. Ai fi oedd yn dwp ac yn stiwpid, 'ta fo oedd yn glyfar?

Welais i erioed mo Nhad yn yfed cwrw, felly welais i erioed mohono'n feddw, er 'mod i'n amau'n gryf ei fod wedi cael mwy na Vimto noson y stori torri i mewn i dŷ RH. Wnâi o ddim cyfaddef hynny, ac efallai mai dyna pam mai dim ond wrth gwmni preifat y byddai o'n dweud y stori honno. Eto, efallai mai fo greodd y stori, ac os felly roedd ganddo fwy o ddychymyg nag ro'n i'n ei feddwl oedd ganddo.

'Ti'n nabod Now bach, gŵr Iola, nymbyr wan, yn dwyt?' byddai o'n dweud. 'A ti'n nabod RH, yn dwyt? Wel, un noson, yli, ar ôl practis côr, mi a'th yn hwyr iawn, iawn. Mi oedd RH, yli, wedi gadael goriada y tŷ ar fwrdd y gegin. Ia, 'di cloi 'i hun allan, ac yn methu mynd i mewn. Tra oedd RH yn chwilio am y goriada, mi oedd Now a fi'n chwilio am y drws.

"Fydda hi ddim yn syniad da galw gwraig RH i lawr?" medda Now.

"Be, am hanner awr wedi tri yn y bora?" medda fi. "Na, na, ma petha 'di mynd yn ddrwg rhwng y ddau ers tua pum mlynadd, a ma petha 'di mynd yn waeth ers rhyw fis, mor ddrwg maen nhw wedi dechra rhoi eu dannadd gosod mewn gwydrau ar wahân."

'Yna medda Now, "Ew, Chals, ma'r tŷ 'ma'n fawr, tydi, ac yn uchal, ond dwi'n gweld ffenast yr atig ar agor yn y to'n fan'cw. Mi fedra i ddringo i ben y to, ac wedyn mynd i mewn i'r tŷ drwy honno."

"Ol na fedri, Now," medda fi, "mae'r to lot yn rhy uchal."

'Dyma RH yn deud bod gynno fo ystol ddeugain troedfadd yn y sied ac mi fasa honno'n cyrradd.

"RH," medda fi, "sut fedri di gael ystol ddeugain troedfadd mewn sied deg troedfadd?"

"Hawdd," medda fo yn llanc i gyd. "Ma hi'n rhannu'n bedwar darn deg troedfadd, 'li."

'Ac mi roedd hi... Pan oedd Now bron â chyrraedd y top, mi nath.

'Mi ddisgynnodd, 'sdi, a gwneud lot o sŵn, cathod y greadigaeth yn deffro efo'i gilydd. Mi ddoth goleuadau y tŷ i gyd ymlaen... fesul bylb, fesul stafall, llofft ffrynt, wedyn y landing, wedyn y parlwr, y gegin a'r portsh. Dyma'r drws ffrynt yn agor led y pen, a dyna lle roedd hi, gwraig RH, yn sefyll fel siliwét du yn y portsh, yn edrach fatha Hitlar mewn cyrlyrs, a *rolling pin* yn ei llaw dde. RH yn sbio arni a deud, "Bora da, fy hyfryd, brydferth angel. Onid ydw i'n lwcus i dy gael di'n wraig i mi? Faint o ddynion Bodffordd fedar ddeud bod ganddyn nhw wraig sy'n codi am hanner awr wedi tri yn y bora... i ddechra pobi?"'

***

Drwy'r 1940au hyd at ddechrau'r 1970au roedd gan yr actor a'r digrifwr enwog yma ddau job, a byddai'n reidio beic i un jobyn, a bodio neu ddal bỳs i'r llall. Pan oedd pobol yn gofyn i ni blant beth oedd gwaith ein tad, yr ateb fyddai, 'Gweithio ar fferm Cerrig Duon, a weiarles weithia.'

Mi oedd Charles, dyn y weiarles, yn amlwg yn fwy pwysig i bobol eraill nag ydoedd i ni. Dyn enwog oedd o iddyn nhw, Dad oedd o i ni, ac roedd yn llawer gwell gan fy mrodyr a'm chwiorydd Dad pan fyddai'n gweithio yng Ngherrig Duon, neu'n ddiweddarach yn Frogwy Fawr, nag yn y BBC. Ar y fferm mi oeddan nhw'n ei weld o'n amlach ac yn hirach, ac yn gwybod yn union ble'r oedd o. Ond i mi, dyn weiarles y BBC ro'n i'n licio'i ddweud oedd fy nhad.

Ond mae'n amlwg ddigon ei fod yn fwy na gwas fferm pan oeddan ni'n blant. Pan aeth fy mrodyr i Ysgol Uwchradd Llangefni roedd pawb, ar ôl yr wythnos gyntaf, yn eu galw yn Charles – nid Wili ac nid Glyn ond Charles. Mi wnes i ddechrau'r ysgol yn Idris Williams, a gadael yn Idris Charles, yr un peth yn union â fy chwiorydd Glenys Charles, Beryl Charles a Valmai Charles. Mi oedd Mam yn Anti Jini, neu'n Anti Jini Charles, neu jyst yn Jini Charles.

Oedd o'n ddyn doniol? Oedd, heb amheuaeth, ond mi oedd ei hiwmor a'i jôcs yn bethau roeddan ni'n eu cymryd yn ganiataol. Sawl gwaith dwi'n bersonol wedi clywed pobol yn dyfynnu un o ddywediadau doniol, sydyn a bachog fy nhad, ond fyddwn i ddim yn cymryd llawer o sylw oherwydd mi oeddan ni blant wedi dod i arfer efo'r sylwadau bachog hyn. Weithiau mi fyddai 'na fwy o chwerthin pan fyddai Mam yn dweud rhywbeth doniol. 'Chals, ewch i hogi y dwca 'na ar stepan drws y ffrynt er mwyn i Mrs Sharpe feddwl bod gynnon ni joint i ginio!'

Pan oeddan ni'n blant yn mynd am reid yn y car i gael *chips*, neu yn mynd i lan môr, mynd i Gymanfa y capel, neu hyd yn oed yn cerdded o amgylch cae 'Steddfod, mi fydden ni'n clywed y doniolwch rhyfeddaf o enau Nhad:

'Sbia tena 'di hwn... fatha llathan o ddŵr pwmp.'

'Wnes i 'rioed fynd i'r ysgol, ymuno â'r plant wrth iddyn nhw ddŵad allan fyddwn i. O'n i'n dysgu mwy felly.'

'Mi oedd gin i feic *racer* thri sbîd unwaith. Mi oedd o mor ffast nath o 'mhasio fi, ddwywaith.'

''Nes i weld Eric Post efo dwy lygad ddu. "Ew, Eric," medda fi, "pwy roddodd rheina i ti?" "Nath 'na neb roi rhain i mi," medda fo, "fuo rhaid i mi gwffio amdanyn nhw."'

Weithiau mi oeddan ni'n chwerthin, dro arall ddim. Doedd ei ddigrifwch ddim yn golygu yr un peth i ni ag roedd o i weddill Cymru. Wrth dyfu, mi roeddan ni blant, y chwech ohonan ni, yn dŵad i sylweddoli fwyfwy fod Dad yn wahanol i dadau eraill y pentra.

Erbyn deall, mi roeddwn i'n dechrau tyfu i fod yn wahanol i bobol eraill hefyd, yn fwy efallai na fy mrodyr a'm chwiorydd. Mi dreuliais fwy o amser yn ei gwmni na neb arall, am fod gen i ddiddordeb ym maes diddanu, er na wyddwn yn iawn beth roedd hynny'n ei olygu. Doedd byd mawr y cyfryngau heb agor allan ymhellach na chapel Gad, perfformio yn y Gylchwyl, y Gymanfa ac eisteddfodau Bodffordd, Llanddeusant, Llandegfan a Marian-glas, ac adrodd ar lwyfan Eisteddfod Môn. A dyna ni.

Ond er nad oeddwn wedi deall bod fy nhad ar fin dod yn enwog, nid dyna anogodd fi i ddilyn ôl ei droed. Y cyffur roedd o'n ei gynhyrchu yn ei bersonoliaeth a'i gymeriad a'm denodd i. Mi fyddai'n well o lawer gan fy nhad petai Glyn, fy mrawd, wedi cymryd fy mantell i a'i ddilyn. Glyn oedd ei ffefryn, efo Glyn y byddai o'n chwerthin fwyaf. Mi oedd ganddo barch aruthrol hefyd tuag at fy chwiorydd ac at Wili, 'y mrawd hynaf, a aeth i'r weinidogaeth. Roedd Glyn yn llawer mwy direidus na fi ac mi fyddai o'n dweud y pethau rhyfeddaf ar adegau. Dwi'n cofio'n dda y byddai Nhad yn coginio brecwast llawn i ni pan fyddai amser yn caniatáu iddo wneud. Un bore, a finna'n rhyw saith neu wyth oed, roedd Glyn wrth y bwrdd brecwast yn barod, a finna'n dŵad i ista wrth ei ochor. Roedd hynny yn ei hun yn bantomeim. Yna Dad yn dod â'r plât brecwast a'i osod ar y bwrdd o fy mlaen, finna'n edrych arno a gweld *bacon* a sosej, yna edrych ar blât Glyn a gweld *bacon*, sosej ac wy... 'Ia, wy!' meddwn i'n ddigon diniwed. 'Di 'di ga wy.' Wyddoch chi fod Glyn wedi gweiddi dros y tŷ, 'Di 'di ga wy', ac am flynyddoedd wedyn 'Didigawy' y bu'n fy ngalw i. 'Sut ma Didigawy heddiw?' Cyn i neb gael camsyniad, a meddwl am funud fy mod i'n cael fy mwlio, na, dim y ffasiwn beth.

Mi oedd Glyn yn cael maddeuant am ei ddrygioni yn gynt na fi a Wili, ond doedd ganddo, fodd bynnag, ddim diddordeb o gwbwl mewn perfformio, er iddo ar rai achlysuron fod mewn drama ac ym mharti adrodd fy nhad. I'r bobol hynny nad oeddan nhw'n gweld fy nhad yn aml, mi oedd ei ddywediadau ffraeth yn ddoniol ac yn gofiadwy.

Mae fel y dyn gwerthu *chips*: os 'dach chi ddim yn cael *chips* yn aml maen nhw'n flasus tu hwnt, ond i'r perchennog sy'n byw yn eu saim o fore gwyn tan nos, 'dyn nhw ddim mor flasus â hynny, ac mi roeddan ni'n byw ym myd jôcs Nhad o fore gwyn tan nos.

Gan mai digrifwr dweud jôcs rhwng cyflwyno eitemau mewn cyngherddau neu noson lawen yn fwy na dim arall oedd Nhad, wnaeth o erioed alw'i hun yn ddigrifwr, neu'n sicr ddim yn *stand up*. Yr agosaf y daeth o i wneud *stand up* oedd yn y Gloddfa Ganol, Blaenau Ffestiniog. Eto i gyd, roedd y noson honno'n fwy o ddarlith na dim arall, ac roedd Hogia Llandegai yn ei gynorthwyo, a Now yn arbennig. Mae'r noson honno ar gof a chadw ar label Sain, diolch i weledigaeth Dafydd Iwan.

Dwi hefyd yn cofio'n iawn, sawl blwyddyn cyn y noson yn y Gloddfa, bod efo Nhad mewn noson debyg y tu ôl i'r llwyfan, a hynny yn Neuadd Pritchard-Jones Prifysgol Bangor. Dim ond fo a'r diweddar Richard Rees (Dic), y baswr enwog. Y peth cyntaf ddywedodd Nhad wrth y trefnwyr 'rôl cyrraedd a gweld neb 'mond fo a Richard yno oedd 'Be 'dach chi'n feddwl? Dim ond y ddau ohonan ni sy yma. Gwell i mi fynd adra rŵan.' Dau mor annhebyg, yn cynnal dwy awr o adloniant. Sioc i'r sustem, gan nad oedd dim byd tebyg i hyn yn cael ei wneud bryd hynny. Doedd hi ddim yn noson hawdd o gwbwl iddo, ond mi lwyddodd y tu hwnt i'w obeithion ei hun, a dweud, 'Dew, mi oedd Chals reit dda heno.' Mi oedd yn help, wrth gwrs, pan glywai'r gynulleidfa barchus y baswr poblogaidd yn gweryru chwerthin yn y cefn, ac mi fyddai hynny'n gwneud iddynt ymlacio a chychwyn chwerthin – rhyw fath o cic-start felly.

Mi oedd llawer iawn o ddeunydd y noson honno fwy neu lai yr hyn yr arferai ei ddweud ar lwyfannau mewn cyngherddau ac roedd yn gorfod tyrchu'n ddwfn i waelodion y cof pan fyddai'n rhaid llenwi. Roedd ambell stori yn hirach na'r arfer, lot mwy o ddehongli, lot mwy o greu, a dwi'n gwybod pan ddywedai y straeon ei fod yn gweld yn ei ddychymyg bethau na welsai erioed o'r blaen. Byddai ei ddisgrifiadau o gymeriadau yn y straeon yn lot mwy lliwgar wrth i ddychymyg y digrifwr gael ei wthio i'r eithaf.

Mae trio deall sut roedd Nhad yn meddwl ac yn hel syniadau yn anodd iawn. Dydi digrifwr na sgriptiwr comedi ddim yn gallu meddwl yn rhesymol, waeth sut maen nhw'n trio. Dydi meddwl rhesymegol ddim yn ddoniol, felly i gael meddwl digrifwr mae'n rhaid bod yna ddiffyg cydbwysedd yn rhywle yn yr ymennydd. Mae'n rhaid i rywbeth bach fod yn achosi i'r ymennydd fod allan o *sync* efo bywyd y gweddill o'i gwmpas. 'Di o ddim yn gweld dyn yn cerdded yn syth, ddim yn clywed dynes yn y siop yn siarad yn gall, ddim yn gwerthfawrogi cynghorion meddyg, a 'di'r ysgol ddim yn lle i ddysgu, a 'di'r capel ddim yn lle i addoli. Meddwl rhesymol ydi'r rheina i gyd, ond mae'r digrifwr yn troi rhesymeg ben i lawr, wrth droi'r cyffredin yn anghyffredin... Beth sy'n digwydd? Datod y sgriw fach 'na sydd eisoes yn rhydd, falla. Fedrwch chi ddim sgwennu jôcs drwy ddefnyddio'r ymennydd sy'n gweithio'n normal. Mae'n amhosib. Petai digrifwyr yn dweud pethau call, fasa nhw ddim yn wahanol i'r cyffredin ac felly ddim yn ddigri. Ydi be mae digrifwyr yn 'i ddweud a'i wneud yn gwneud synnwyr? Yn ystod y broses o feddwl am y jôc, y stori neu'r sgets, aeth y meddwl oddi ar ei echel, colli ei gydbwysedd, ac o'r geg daeth y pethau doniol, yr hyn 'dan ni'n ei alw'n jôc.

Wedi dweud hyn, rhaid ychwanegu, a bod yn hollol deg â'r digrifwr a'r sgriptwyr, bod ganddynt feddwl anghyffredin, a dwi'n brysio i ychwanegu, anghyffredin o glyfar. Dim ond person efo'r ddwy ochr yna sy'n medru creu syniadau i wneud i bobol chwerthin. Mae'r digrifwr yn meddwl drwy'r amser. Fel yna roedd Charles Williams y digrifwr yn byw ac yn bod, yn od ac yn gall ar yr un pryd.

Mae'n siŵr gen i fod cyfnod cynnar darlledu comedi ar y radio wedi dylanwadu ar fy nhad i raddau, er wn i ddim faint chwaith, gan na wn i faint o wrando a wnâi yn y dyddiau hynny. Yn y flwyddyn 1926, pan oedd Nhad yn ddim ond un ar ddeg oed, gwahanwyd Adran Ddrama ac Adran Adloniant y BBC yn y pencadlys yn Llundain, gan ryddhau llond gwlad o ddigrifwyr i gael mwy o amser i berfformio yn hytrach nag actio.

Gan mai un ar ddeg oed oedd Nhad, mae'n ddowt gen i fod pobol megis Arthur Askey i'w clywed ar yr aelwyd ym Modffordd. Ond erbyn iddo fod tua deunaw oed yn 1933, a'r radio yn dechrau ennill ei lle yn eithaf cyfforddus ar aelwydydd rhai cartrefi, mae'n debyg iddo glywed pobol megis Cardew Robinson, Wilfred Pickles, Charlie Chester a Ted Ray a'u tebyg, ac roedd yn amlwg o'r sgyrsiau ro'n i'n eu cael efo fo rai blynyddoedd wedyn fod rhai o'r digrifwyr yma wedi gadael rhywfaint o'u marc arno. Dwi'n ei gofio fo'n dweud wrtha i iddo gyfarfod â Charlie Chester yn rhywle.

'O'n i'n gwbod yn syth ma Charlie Chester oedd o,' meddai Nhad.

'Sut?' meddwn i. 'Dim ond ei glwad ar y radio wnaethoch chi.'

'Wel ia, ond pan welis i fo, mi oedd ganddo fo dei mawr lliwgar,' meddai Nhad wedyn, 'a "Charlie Chester" 'di sgwennu yn fawr arno!'

Fuodd o 'rioed yn ffan mawr o Charlie Chester ar ôl gweld y tei.

Mi oedd digrifwyr radio y 1930au tan y 1960au, ac a ddaeth ar y teledu wedyn, yn siŵr o fod wedi rhoi syniadau yn ei ben, os nad jôcs llawn. Byddai Nhad yn mynd i'r stafell ffrynt – y parlwr – i wrando ar y weiarles. Doeddan ni fel teulu ddim yn gwybod yn union beth oedd yn digwydd, ond mi fyddai 'na lot fawr o chwerthin i'w glywed yn dod o'r radio, a chwerthin fy nhad yn ogystal i'w glywed bob hyn a hyn.

Doedd dim trydan ym Modffordd hyd at ddechrau'r 1960au, yna pan gawson ni injan fach oedd yn rhedeg ar TVO i gynhyrchu trydan yn niwedd y 1950au a dechrau'r 1960au mi gafwyd teledu. Mae hanes y teledu cyntaf yn fy hunangofiant.

Ar y bocs 14 modfedd y gwelson ni ychydig o gomedi am y tro cyntaf. Roedd comedi lawer yn well ar y teledu, wrth reswm, gan fod stumiau'r digrifwyr yn ychwanegu at yr hiwmor a'r stori. Mi fyddai plant y pentra yn dŵad i'n tŷ ni yn un haid i weld y teledu, a gwirioni'n lân efo Old Mother Riley, Mr Pastry, Mr Pickles, Abbott and Costello a Norman Wisdom, ond y ffefryn mawr gan bawb oedd George Formby.

Pan ddois yn hŷn mi oeddwn i, weithiau, yn cael y cyfle i wrando ar y radio gyda Nhad, ond yn ei chael hi'n anodd – doedd fy Saesneg i ddim yn ddigon da i ddeall y stori na'r *punchline*.

Mi fydden ni ein dau yn gwrando'n astud, a Nhad yn gwneud ychydig nodiadau, ond yr hyn ro'n i'n ei fwynhau yn y cyfnod cynnar yma oedd clywed y jôcs ro'n i wedi'u clywed ar y radio neu eu gweld ar y teledu ac wedi hanner eu dallt yn cael eu hadrodd gan fy nhad... mewn dillad newydd. Roedd hynny'n bleser pur.

Does dim amheuaeth na wnaeth fy nhad ddysgu llawer gan ddigrifwyr ei gyfnod. Mi oedd o'n gwrando ac yn eu hastudio'n fanwl. Dyma, i raddau, fyddwn i'n tybio oedd ei goleg o. Yr oedd, fel y byddai o'i hun yn dweud, yn 'hongian ar bob gair ddeuai allan o'u genau' ac yn sicr yn ychwanegu hynny at ei dalent naturiol. Does dim rhyfedd, felly, ei fod cystal digrifwr.

Dyma rai o'i ffefrynnau o'r radio a'r teledu, ac enghreifftiau o'u gwaith. Os clywsoch fy nhad yn dweud jôcs tebyg, peidiwch â dweud gair! Roedd Albert Modley yn adroddwr straeon ac yn grëwr sefyllfaoedd hynod o ddoniol. 'Cofio cael job,' meddai o mewn un stori, 'efo *marching band*. Chwara'r drwm mawr yng nghefn y band oeddwn i ac mi ro'n i'n rhoi croen llewpard ar y drwm. Mi oedd o mor drwm byddai'n cymryd dau ddyn i godi'r drwm a'i roi ar fy mrest, a'i strapio fo arna i. Wel, dwi 'mond bychan, ond mi ro'n i'n medru gweld tipyn bach dros y top. Beth bynnag, mi roeddan ni'n martsio i lawr Manningham Lane un diwrnod, a dyma'r hogyn 'ma'n tynnu yn fy llawas ac yn deud, "Hei, mistar, mistar, mae'r band 'di troi i'r chwith ddau gan llath yn ôl." Ddudis i wrtho fo, "Mae'n ol reit, 'rhen foi, dwi'n gwbod y diwn."'

Mi ddychmygodd Nhad Yncl Tomi yn y stori 'na. Y dyn bychan yn cael cyfle i chwarae yn y band oedd yn cerdded drwy'r pentra pan oedd Eisteddfod Môn ym Modffordd. Yn sicr, mi roddodd y stori ddigri 'na a'u tebyg syniadau i Nhad, ac fe'u hailgreodd i fod yn storïau credadwy. Twyllo? Llên-ladrata? Na, na, cael pobol i chwerthin oedd yn bwysig, ac roedd pobol Bodffordd yn taeru eu bod wedi gweld Yncl Tomi yn cario'r drwm... od, neu gyfrinach? Y ddau?

Fel Jimmy James, byddai Nhad yn actio dyn meddw, ac roedd yn gallu actio dyn meddw yn hollol wych, a'r gyfrinach fawr, meddai o, oedd nid trio bod yn feddw, ond yn hytrach creu dyn meddw oedd yn trio bod yn sobor. Jimmy James ar y llwyfan, sigarét yn ei geg, a dau stŵj, un bob ochor iddo. 'Dach chi'n cofio sgets y bocs? Jimmy yn sefyll yn y canol, Bretton Woods (Eli Woods), sbrigyn main ac atal dweud mawr arno, un ochor a Hutton Conyers (Jim Casey neu, yn fwy diweddar, Roy Castle) yr ochor arall, a hwnnw'n cario bocs sgidia dan ei fraich. Mae'r sgets yn dechra efo'r stŵj sy'n cario'r bocs yn dweud, 'Is it you that's put it around that I'm barmy?' Wedyn aiff ymlaen i ddweud bod ganddo lew yn y bocs, ac wedyn ymhen amser mae 'na eliffant yn y bocs, ond ar y diwedd does 'na ddim lle i'r jiráff, ac ymlaen ac ymlaen yr aiff y sgets, a'r tri mor wirion â'i gilydd. Un o'r sgetsys gorau erioed, ac mi gofia i Nhad yn chwerthin hyd at besychu wrth weld y sgets yma ar *Sunday Night at the London Palladium*. Petai Nhad yn fyw heddiw, 'sdim dowt gen i na fyddai o'n gwylio'r sgets drosodd a throsodd ar YouTube... mi dwi'n gwneud!

Mi glywais fy nhad yn dadansoddi'r sgets yma lawer tro, a'r pwynt mawr oedd amseru Jimmy James – nid yn unig amseru perffaith dyn meddw yn ei lefaru, ond amseru pryd i roi'r sigarét yn ei geg, pryd i chwythu'r mwg, a'r ffaith ryfedd nad oedd yn siarad efo'r gynulleidfa, ddim hyd yn oed yn edrych arnyn nhw, ond yn hytrach yn edrych ar y ddau stŵj, a'r ddau mor dwp â'i gilydd, ond bod eu twpdra yn wahanol.

Ddeuddeg mlynedd yn ôl cefais y fraint o weithio efo Eli Woods. Ei gyfarfod i ddechrau yn North Pier, Blackpool, ac roeddwn mor falch o ddweud wrtho bod fy nhad yn un o'i ffans mwyaf. Wedyn cefais gyfle i gyfarwyddo comedi, *The Laughing Cow*, efo Eli yn serennu. Mae honno ar YouTube hefyd.

Jimmy James ddywedodd y stori yma wrth Eli yn ei ffordd feddw/sobor ei hun: 'Ti wedi clwad am y Brenin Canute? Brenin Canute, 'sdi. Ia, nath o herio'r môr, 'sdi. Do wir, nath o ista ar gadar a herio'r môr a'i donnau. "Dos yn ôl," medda fo wrth y môr, "dos yn ôl..." Fuo fo 'no drwy'r dydd... yn herio'r môr, m... m... m... Nath o foddi, 'sdi.'

Cryfder mawr Tom Mennard, digrifwr mawr arall o'r cyfnod, oedd troi pob sefyllfa gyffredin, naturiol, bywyd-bob-dydd yn anghyffredin, annaturiol. Roedd Nhad yn debyg iawn iddo ar yr ystyr ei fod yn mwynhau gwneud i bobol chwerthin drwy greu stori, a pho fwya'r chwerthin, mwya'r creu. Dyma'r digrifwr agosaf at arddull fy nhad heb os, a'i ddisgrifiadau yn creu darluniau. Mi fyddech chi bron yn clywed fy nhad yn dweud y stori hon o flaen cynulleidfa fawr, fel y gwnâi Tom, ond yn wahanol i Tom mi fyddai o'n rhoi'r geiriau yng ngheg un o gymeriadau gweithwyr y cownsil:

'Ti'n gwbod am rywun sydd isio job fel glanhawr stryd, Charles? Mi ga'n nhw fy jobyn i, yli. Na, na, dwi'n ffed yp, wir rŵan. Wyddost di, dydd Gwenar dwytha er enghraifft, o'n i 'di treulio ugain munud yn brwsio sbwriel ar y stryd, sbwriel na fydda chdi 'di gweld 'i fath erioed. Mi ro'n i wedi creu peil bach del i fod yn prowd iawn ohono. Mi oedd popeth ynddo fo, popeth! Papurau dydd Sul, poteli pop, bisgedi, bwnsiad o grysanthemams, pump stwmpyn a dwy botal wag o asprins, ac mi ro'n i 'di rhoi'r cwbwl yn beil bach del ar ochor y lôn. Yna, dyma'r boi 'ma'n dŵad ar ei feic a reidio reit trwyddo fo. Mi a'th y peil del i bobman. Ges i afa'l ar y boi a rhoi llond ceg iddo fo. Doedd o ddim yn licio hynny, o nag oedd. "Hy!" medda fo. "'Mond peil o sbwriel oedd o." "Gwranda, boi bach," medda fi. "Falla mai 'mond peil o sbwriel ydi o i chdi, ond mae o'n fara menyn i mi."'

Mae rhagor ar gael, ond dwi'n gobeithio bod hyn wedi rhoi rhyw syniad i chi sut roedd Charles yn dysgu ac yn meddwl am gomedi. Tipyn o goleg! A dyma chi rai o'r darlithwyr eraill:

Al Read (fel Al, byddai Nhad yn actio dyn oedd yn meddwl ei fod yn gwybod y cwbwl)

Sandy Powell ('Can you hear me, mother?')

Ken Dodd (ei arwr mawr)

Bob Monkhouse (Doedd o ddim yn hoff iawn o Bob hyd nes iddo'i gyfarfod, pan oedd y ddau yn cael colur yr un pryd unwaith. Byddai gan Bob jôc ar gyfer pob achlysur.)

Arthur Askey (oedd yn debyg i Yncl Tomi).

Mi oedd 'na rai digrifwyr yn ffefrynnau mawr efo Nhad,

ac mi fyddai o'n chwerthin yn uchel dros y tŷ efo ambell un, ac yn cymryd nodiadau efo pensil a sgwennu ar ddarn o bapur neu ar gefn hen sgript. Byddai'n rhoi pennawd ac ambell air i gofio ambell stori ddigri. Y cyfan roedd yn rhaid ei wneud wedyn oedd newid ambell beth ac ambell enw a dyna ni, jôc newydd sbon. Ac mi aeth 'Lady Pritchard in her beautiful fur coat walking down the streets of London' oddi ar y teledu yn y London Palladium yn Mrs Roberts Bryn Hyfryd yn ei chôt ffyr yn cerdded i lawr i farchnad Llangefni yn Neuadd Goffa Bodwrog. Pam? Wel, fel yna roedd o'n medru gweld 'Lady Pritchard' i werthfawrogi a disgrifio y cymeriad yn y jôc.

Dwi ddim am wneud cam â'r dyn, o na, ond chwarae teg, byddai digrifwyr mor brysur, a Nhad byth dragwyddol yn medru ffeindio deunydd hollol wreiddiol bob tro. Help bach at yr achos oedd yr hyn y byddai o'n gwrando arno. Meddyliwch am hyn: mi oedd yn adrodd, dweud jôcs ac yn arwain mewn tri neu bedwar parti cyngerdd, mi fyddai'n cael gwahoddiad i bentrefi a threfi ar draws y Gogledd fel perfformiwr unigol, roedd yn actio mewn llu o raglenni i'r BBC ym Mangor, o *Awr y Plant* i ddramâu trwm, ac ar ben hyn i gyd byddai'n fyw ar y radio bob pythefnos gyda'r *Noson Lawen*.

Felly nid yn unig roedd angen deunydd arno, ond roedd angen syniadau a chymeriadau, ac weithiau, yng nghanol ei brysurdeb, mi oedd yn haws dwyn cymeriadau Saesneg o Fanceinion, Llundain neu Birmingham a'u troi'n Gymry Cymraeg oedd yn byw ym Modffordd. Er, wedi dweud hyn, mi fentra i ddweud bod 75 y cant o'i straeon yn rhai gwreiddiol o fro ei febyd.

Erbyn heddiw, rhaid cyfaddef, o ran comedi, bod y sioeau un dyn *stand up* yn boblogaidd ryfeddol, y tu hwnt i'm dirnadaeth i. Meddyliwch fod 1.2 miliwn wedi gweld taith ddiwethaf Peter Kay, a neb yn y sioe ond y fo, cynulleidfa yn talu £30 a mwy i weld un dyn, ond un dyn go arbennig. Mae'r digrifwr mawr carismataidd yma o ogledd Lloegr yn gallu cynnal noson ei hun am ryw ddwy awr a mwy yn llwyddiannus iawn.

PETER KAY HEDDIW, CHARLES WILLIAMS DDOE

Yr hyn y mae Peter Kay yn ei wneud yn ei gomedi sy'n debyg iawn i Nhad ydi adrodd stori rhyw hanner dwsin neu fwy o ddigwyddiadau a helyntion ei fywyd. Disgrifia un ai yr hyn a ddigwyddodd y diwrnod hwnnw neu yr hyn a welsai pan oedd ar wyliau neu mewn priodas. Disgrifia'r sefyllfaoedd, gan ganolbwyntio ar ambell beth, chwyddo'r digwyddiadau a thynnu sylw at ei ffolineb ei hunan a ffolineb pawb arall.

Yna bydd yna rywbeth y bydd am i ni sylwi a syllu'n fanwl arno, a bydd ei edrychiad yn dweud cyfrolau wrth weld pa mor wirion ydi'r holl sefyllfa, a'r pethau 'dan ni'n eu dweud a'u gwneud. Heb yn wybod i ni, cawn ein tynnu i mewn i sefyllfa a'n gosod yn ei chanol, nes clywed ein hunain yn dweud pethau ffôl, a chael ein hargyhoeddi mai fel hyn 'dan ni i gyd.

Petai Charles Williams yn perfformio comedi heddiw, a fyddai o'n gallu cynnal noson ac a fyddai o yr un mor ddoniol? Fyddai o'n dygymod ag arddull digrifwyr heddiw? Sgen i ddim ofn dweud mai buan iawn y byddai o'n addasu, ac os mai stori hir yn llawn digwyddiadau sydd ei hangen, fyddai hynny ddim yn broblem i Charles. Roedd straeon Charles yn ddi-rif a'i ddynwarediadau yn ddihareb. Gallai wneud drama allan o stori syml a'm cadw yn gegagored yn gwrando ac ar fy nghefn yn chwerthin wrth iddo fynd drwy ei bethau... Ia, pethau Charles oedd pethau'r werin, comedi Charles oedd yr hyn oedd yn digwydd o'i gwmpas bob dydd, yn union fel Peter Kay.

Mi oedd ganddo lyfryn bach coch ac mi fyddai'n cofnodi popeth doniol a glywai neu a welai yn y llyfryn bach hwnnw. Byddai cynnwys y llyfryn bach coch hwnnw heddiw yn ddigon i fodloni cynulleidfaoedd y sioeau *stand up*.

Mi ges docyn i weld Peter Kay yn perfformio ym Mhafiliwn y Rhyl rai blynyddoedd cyn iddo ddod mor boblogaidd fel digrifwr. Isio gweld oeddwn i tybed faint o wahaniaeth sydd yna neu oedd yna mewn gwirionedd rhwng y dewin o Sais o ardal Bolton a'r dewin o Gymro o Fodffordd. Mae gwirionedd comedi a sylfaen digrifwch yn union yr un peth i Charles Williams ddoe a Peter Kay heddiw.

Byddai'r stori'n dechrau gyda hadyn o wirionedd gan y ddau, yna'r dychymyg yn cymryd drosodd, gosod golygfa gredadwy o flaen y gynulleidfa, taflu ychydig o ffeithiau hollol wir ac wedyn taflu digon o ddychymyg afreal i mewn i'r cynhwysion. Yna bydden nhw'n symud y stori a'r sefyllfa dros diroedd anghyfarwydd i fannau dyrys, anffodus a thrafferthus weithiau. Wedyn rhaid oedd rhoi tro go dda i'r gymysgfa efo anferth o lwy fawr, ac er na fyddai'r stori yn ddim byd tebyg i'r gwreiddiol, byddai'r comedi ar ei orau yn llawn doniolwch.

Dyma i chi un enghraifft o'r tebygrwydd rhwng y ddau. Mae Peter, fel fy nhad, yn ceisio denu sylw'r gynulleidfa efo pwnc poblogaidd y dydd, sef colli pwysau. Yn y Rhyl daw Peter â'r pwnc yn syth i sylw'r gynulleidfa drwy gyfeirio ato fo'i hun.

'Dwi isio mynd ar ddeiet,' meddai, sy'n siwtio ei gorff ac ynta dros ei bwysau.

Mae'r gynulleidfa'n deall y pwnc yn syth.

'Mmm, deiet.' Defnyddia lygaid mawr, saib, edrych o'i gwmpas, y cyfan wedi'i goreograffu yn ofalus, er ei fod yn ymddangos ar hap. 'Mmm, dechra deiet dydd Llun. Ia, dechra dydd Llun. Dydd Gwenar 'di heddiw. Dwi ddim yn mynd i lwgu fy hun dros y penwythnos, ydw i? Beth bynnag, dwi 'di bod yn siopa ac ma gin i lond cwpwrdd o Jam Wagon Wheels. [Nid siocled, sylwch, ac nid bisgedi, ond 'Jam Wagon Wheels' oherwydd bod 'Jam Wagon Wheels' yn llawer mwy doniol i'r dychymyg ac i'w ddweud.] Felly wehei! Dechra dydd Llun. Na, ma hi 'di dŵad i rwbath pan na fedrwch chi gael Jam Wagon Wheels dros y penwythnos... *Detox* dydd Llun, dŵr a dropyn o lemon [saib] a phowlan arall o Special K i drio dŵad lawr un seis. Daria, ma hyn yn ofnadwy, ma fy *migraine* yn waeth nag erioed. Diawch, dwi ond 'di bod ar y deiet am ddwy awr, wedyn dwi'n sefyll o flaen y drych hir... Siŵr bo fi wedi colli rhwbath erbyn hyn. Erbyn dydd Merchar dwi fel jynci. Dwi ddim mor coci am y Jam Wagon Wheels rŵan, ydw i? Sefyll ar ben cadair, rhoi fy mraich i lawr cefn y cwpwrdd i weld oes rwbath wedi disgyn. Rhaid bod 'na rwbath yna... Creme Eggs, rhwbath, cym on...'

Dyma'r math o gomedi gewch chi mewn sioeau *stand up* a nosweithiau comedi Cymraeg hefyd erbyn hyn, a'r criw doniol yma'n gwneud gwaith da iawn.

Mae'r math yma o nosweithiau yn boblogaidd iawn yma yng Nghymru erbyn hyn, a Chymry Cymraeg yn ymateb i'r her o sefyll o flaen cynulleidfa am hanner awr a mwy yn llwyddiannus iawn. Gwych o beth yw fod cwmnïau a chymdeithasau yn hapus i'w noddi. Mae'r deunydd mor ffres, yn amlwg wedi'i sgwennu yn gelfydd i ffitio eu harddull unigryw eu hunain, a pheth arall, dydyn nhw ddim yn dwyn deunydd y naill oddi wrth y llall – mae hynny erbyn heddiw yn bechod anfaddeuol ymysg saint y *stand up*.

Gwir dweud, ac mi fyddai pob un ohonynt yn cytuno, mai Tudur Owen sydd yn arwain y gad. Anelu i gyrraedd yr un safon â fo maen nhw, fo ydi pen bandit y digrifwyr Cymraeg newydd, amgen. Mae ei sioeau teledu ar S4C cystal os nad gwell nag unrhyw beth sydd ar y teledu. Fyddai Charles yn ffitio i mewn efo Tudur a'r criw? Wel, y dylanwad cyntaf ar Tudur oedd Charles Williams Bodffordd... meddai o.

Does 'na ddim byd yn newydd dan yr haul, na chwaith dan oleuadau'r theatr neu'r stiwdio mewn gwirionedd. Mae 'na ormod o gwyno am hen jôcs. 'Dwi 'di clwad honna o'r blaen,' meddai pobol y gynulleidfa, ond does 'na neb yn y gynulleidfa yn dweud 'Dwi 'di clwad honna o'r blaen' pan fydd Bryn Terfel yn canu 'Aros Mae'r Mynyddoedd Mawr'. Dwi wedi dweud droeon, 'di jôc 'mond yn hen os 'dach chi wedi'i chlywed hi.

Yn bersonol, mi ydw i wrth fy modd yn clywed ambell ddigrifwr yn dweud hen jôc, er 'mod i'n gwybod beth ydi'r diwedd, ac yn gwybod beth ydi'r *punchline*. Dwi'n mwynhau'r disgrifiadau, mwynhau'r ddrama ragorol rhwng y cyflwyniad cychwynnol, gosod y sefyllfa, disgrifio'r cymeriadau, ac wedyn ail-fyw eto'r ergyd, y *punchline*.

Dyma i chi ffaith arall am hen jôcs. Mi glywais ddigrifwr nid anenwog yn dweud jôc, a honno'n mynd yn fflat, ac yna yr un jôc yn cael ei dweud gan Dai Jones Llanilar yn tynnu'r lle i lawr. Fyddech chi ddim yn credu mai'r un jôc oedd hi. Ai gwell cynulleidfa oedd gan Dai ac mai dyna'r rheswm? Na, na, dawn anhygoel o ddoniol Dai wnaeth i'r jôc weithio.

Doedd fy nhad byth yn hunanfodlon, byth yn fodlon ar ei berfformiad. Mae 'na le i wella, lle i bolisio drwy'r amser, a fyddai o byth yn hapus pe bai'r gynulleidfa wedi rhyw bwffian chwerthin. Doedd o ddim yn hapus nes bod y gynulleidfa i gyd fel un mewn storm o chwerthin.

LEE MACK HEDDIW, CHARLES WILLIAMS DDOE

Ar hyn o bryd, fy hoff ddigrifwr i ydi Lee Mack. Dwi'n cofio ei weld o'r tro cyntaf yn cyflwyno cwis pêl-droed *They Think It's All Over* ar y teledu. Mi es i'w weld yn perfformio gyntaf mewn theatr fechan, Theatr y Gweithwyr, yn y Coed-duon ac ychydig dros 500 o bobol yno. Ches i ddim trafferth i gael tocynnau; yn wir, roedd seddi gwag yno gan nad oedd dim llawer, bryd hynny, wedi clywed amdano. Yna, yn niwedd 2014, mi ddaeth Lee Mack i Neuadd Dewi Sant, Caerdydd, am dair noson, ac roedd y tocynnau wedi'u gwerthu i gyd dri mis a mwy cyn y perfformiad cyntaf.

Os ydach chi wedi gweld y gomedi sefyllfa *Not Going Out* ar BBC1 sydd wedi'i sgwennu gan Lee Mack, mi sylwch fod y prif gymeriad, Lee ei hun, yn methu peidio â gwneud sylw doniol neu jôc fachog am bob sefyllfa. Mae Lee yn y gomedi hon yn byw pob eiliad o'i fywyd yn y sioe. Beth bynnag sy'n cael ei ddweud, mae ganddo ateb, a'r ateb hwnnw yn hollol annisgwyl. Nid llinell ddoniol na jôc bob hyn a hyn – mae pob llinell ddoniol yn ateb y llall am yr hanner awr, a does byth ddiwedd.

Fel yna mae Lee Mack yn byw bywyd fel fo'i hun. Mae o'n gweld doniolwch ym mhob sefyllfa. Mae'n rhaid i'r jôc nid yn unig fod yn dda ond yn cysylltu â'r hyn a ddywedwyd eisoes yn y sgript cyn iddi gael ei chynnwys.

Mae Bobby Ball, un o fy ffrindiau gorau yn y byd comedi, yn chwarae rhan tad Lee yn y gyfres. Dywedodd Bobby wrtha i fod dull Lee o ymarfer a sgwennu yn wahanol i unrhyw un arall mae o wedi'i weld erioed o'r blaen, er y daw yn ôl at ei wreiddiau yn niwedd y broses. Mae cymeriad Lee a'r Lee go iawn yn debyg iawn i'w gilydd – yn byw ar sylwi, a'r sylwi'n troi'n gomedi.

Fedra i ddim dweud â'm llaw ar fy nghalon mai fel hyn roedd Nhad yn byw ei fywyd – gweld jôc ym mhob man, a phob sefyllfa'n troi'n sefyllfa gomedi, er bod hyn yn digwydd, wrth gwrs. Pan oedd angen, mi fyddai'n barod am yr her. Mewn cyngerdd neu noson lawen byddai'n rhaid iddo fod ar flaenau'i draed, ei feddwl yn agored am y llinell fyddai'n cracio'r gynulleidfa. Dwi wedi dweud hyn

o'r blaen yn fy hunangofiant, *Heb y Mwgwd*, Y Lolfa (dal
ar werth mewn siopau elusen da am £2.48). Es i efo Nhad
i Eisteddfod yr Urdd Porthmadog yn 1964 yn ddwy ar
bymtheg oed. Beirniadu y gystadleuaeth noson lawen roedd
o'r noson honno. Pan oedd ar fin agor ei geg i draddodi ei
feirniadaeth, dyma rhywun yn tynnu ei lun efo camera a'r
fflach yn goleuo'r pafiliwn tywyll, ac meddai Nhad yr un
mor gyflym â'r fflach, 'Wel ia, fedar neb ddeud 'mod i'n
feirniad di-lun!'

Dwi wedi dwyn y frawddeg fachog, sydyn yna dro ar ôl
tro, a chael cymeradwyaeth gan y gynulleidfa wrth iddyn
nhw feddwl mor gyflym oeddwn i y foment honno. Ond
y meistr sy'n berchen ar y llinell... a fedrwch chi ddim
cyfieithu'r frawddeg chwaith: 'Well, nobody can say I'm
photo-less.' Na, jôc Gymraeg Charles yw honna.

Hywel Gwynfryn ar y ffôn efo fi un diwrnod, a finna'n
dweud wrth Hwal (sydd, gyda llaw, yn gallu dynwared fy
nhad i'r dim) fy mod yn sgwennu cofiant i fy nhad. 'Ia...'
meddai Hwal, yn union fel y byddai Nhad yn dechrau
brawddeg, yn arbennig pan fyddai 'na jôc ar y diwedd.
'Ia, mmm, cofio Charles yn arwain 'Steddfod Môn un
flwyddyn, 'lwch, a'r band 'ma'n dŵad ar y llwyfan yn cario
eu hofferynnau o bob math. Dyma un yn gollwng y drwm, a
gwneud sŵn mawr. "Ia, mmm," medda Charles, "... drwm,
ma'n rhaid."'

Nhad wedyn ar glos fferm Frogwy Fawr efo Mr Hughes
y ffarmwr a fy ffrind Gareth Owen, oedd yno'n gweithio
fel prentis bach dros gyfnod gwyliau'r haf (fo ddywedodd
y stori wrtha i). Charles yn gweld car posh yn dod lawr y
lôn gul tuag at y fferm, a Nhad, wrth gwrs, yn ei ddillad
gweithio budur, a llinyn beindar yn dal ei drowsus i fyny.
'Dewcs,' meddai Nhad, 'ma hwn yn debyg i bennaeth y BBC
ym Mangor,' ac yn wir, dyna pwy oedd y dyn. Pan ddaeth
allan o'r car, meddai Nhad wrtho, 'Ol diawch, achan, taswn

i'n gwbod bo chi'n dŵad, mi faswn i 'di cael llinyn beindar glân.'

Pan oedd yn arwain Eisteddfod Môn dro arall mi basiodd dyn pen moel o flaen y llwyfan a Nhad yn taflu brawddeg jyst pan oedd hwnnw oddi tano fo. "Rhen Jôs 'ma, 'di cael *haircut* a twll ynddi, 'lwch,' neu dro arall efo dyn pen moel, 'Wel ar 'nefaid i, ma pen hwn yn tyfu drwy 'i wallt.' Mi'i clywais o'n dweud hefyd, 'Huws Frogwy 'di colli'i gap... ma hwn 'di colli'i wallt.' Gwallt go flêr gan Elwyn Hughes, Pensarn, ac ynta'n canu ar y brif unawd yn hwyr y nos. Charles yn dweud, 'Efo be wnes di dy wallt heno, Elwyn, mwrthwl?'

Nhad yn cyrraedd yn hwyr i arwain cyngerdd yng nghapel Gad, Bodffordd, a'r gweinidog, y Parch. Dwyryd Williams, 'di dechrau'r noson fel arweinydd. Nhad yn cyrraedd, ac meddai Mr Williams, 'Charles 'ma bob amsar yn hwyr yn cychwyn,' a dyma Charles yn cymryd drosodd yr arwain ac meddai o, 'Chals bob amsar yn hwyr yn cychwyn, a Mr Williams 'ma bob amsar yn hwyr yn gorffan.'

Mi oedd cae pêl-droed clwb Llangefni'n arfer bod dros y ffordd i'r fynwent, ac roedd gêm glòs rhwng Gwalchmai a Llangefni. Dyma'r bêl yn cael ei chicio dros y bar ac yn glanio yn y fynwent, ac mi glywodd pawb fy nhad yn gweiddi dros y cae, 'Dead ball, reff!'

Fel Lee Mack, mi oedd fy nhad yn andros o sydyn ei ateb, ac os mentra i ddweud, cyn i holl lyfrau'r genedl gael eu taflu ata i, mi ro'n i hefyd yn gallu bod yn ddigon cyflym.

Ond os oeddwn i'n tynnu ar ôl fy nhad gyda hiwmor sydyn, eto i gyd, mae fy chwaer Valmai'n debycach i Nhad na fi yn hynny o beth. Mae hi mor gyflym ei wit. Mae'n werth gwrando ar ei sylwadau doniol, ac mae'n werth gwrando arni'n siarad am ei phartner druan. Mi fyddai hi'n wych fel *stand up* ac mi wna i fod yn asiant iddi.

Os ydi o'n rhywbeth sydd yn y gwaed, wel, mae cadarnhad

o hynny gan fy meibion. Mi glywais Owain, fy mab fenga, yn gwneud *stand up* unwaith, wel, araith gwas priodas i fod yn fanwl gywir. Rhaid i mi fod yn onest a diduedd, ond mi oedd o'n ddoniol, pawb wedi gwirioni a phawb yn chwerthin, rhai'n crio wrth chwerthin hyd yn oed. Daeth pobol ata fi wedyn gan ddweud, 'Ol tydi o'n debyg i'w dad?' Finna, er fy mod yn falch o'r sylw, yn gorfod cyfaddef mai tebyg i'w daid ydi o.

Pan fyddwn ni, ac oeddan ni, fel teulu yn mynd i rywle – theatr, gêm bêl-droed neu debyg – a'r hogia'n gweld poster, arwydd, hysbyseb, gallech fentro y byddai'r ddau am y gorau i greu llinell ddoniol i gyd-fynd â'r gwrthrych. Yna byddai'r llinell ddoniol yn tyfu a gwella, gwella a thyfu, i weld pwy gâi'r gair olaf a'r llinell orau yn y diwedd... yn union fel eu taid.

Cofio'r ddau, Iwan ac Owain, yn dod i Tinopolis yn Llanelli efo fi un diwrnod, ac os ydach chi wedi bod yn Tinopolis mi wyddoch fod yna luniau o bob math ar furiau'r grisiau o'r stiwdio ar y llawr gwaelod i'r swyddfeydd ar y llawr cyntaf. Mi wnaeth y ddau gyfeiriad doniol, ffraeth at bob un llun o'r gwaelod i'r top... yn union fel eu taid.

Mi fuo'n rhaid i mi ddal fy anadl yn dynn yn angladd fy nhad-yng-nghyfraith yn Amlosgfa Casnewydd. Llond y lle o bobol yn barchus a distaw, a ninna fel teulu wrth i ni ddisgwyl mynd i mewn yn sefyll o dan yr arwydd anferth 'Gwent Crematorium' oedd uwchben y drws. Dyma fi'n gweld Owain yn sibrwd yng nghlust ei frawd, Iwan, a phwyntio at yr arwydd, ac yna at arwydd lot llai 'No smoking'.

Yn y tawelwch parchus hwnnw, mi welais eu direidi... yn union fel eu taid.

15

Fi, Dad a digrifwch

MAE PAWB OEDD yn nabod fy nhad yn hollol siŵr mai pobol Bodffordd a'r cylch oedd y cymeriadau yn ei gomedi, ond dydi hynny ddim yn hollol wir bob tro. Eto i gyd, i Nhad yn ei ben ac yn ei gof neu yn ei ddychymyg, o ardal Bodffordd roeddan nhw i gyd yn dŵad.

Heb os, mi oedd o'n nabod pob un ac yn gwybod lle'r oedd pob un yn byw, pwy oedd eu teulu, eu gwendidau a'u cryfderau, y ffordd roeddan nhw'n siarad a cherdded. Gwyddai hefyd am yr hyn oedd yn eu gwneud yn wahanol i'r gweddill, ac yn destun digrifwch, pa un a oeddan nhw'n bodoli go iawn ai peidio. Fel y dywedodd Syr T H Parry-Williams wrth ateb y cwestiwn 'A ydych chi'n credu yn y tylwyth teg?', 'Dydw i ddim yn credu yn yr hil arbennig hon, ond maen nhw'n bod.' Felly hefyd i mi: dydw i ddim yn credu mai pobol Bodffordd ydyn nhw bob tro, ond maen nhw'n byw yno.

Dwi ddim isio difetha'r argraff roddodd Nhad i chi, a'ch atal rhag credu pob gair o'r hyn a ddywedodd am y cymeriadau hynod hyn. Dwi fy hun ar adegau yn methu gwahaniaethu rhwng y gwir a'r dychmygol, rhwng pobol o gig a gwaed go iawn a'r bobol a grëwyd ac a ddychmygwyd ym mhen Charles.

Wrth gwrs, mi fyddai'r rhan fwyaf o'r cymeriadau y byddai'n sôn amdanynt yn gymeriadau oedd yn anadlu awyr iach Bodffordd a'r ardal bob dydd, yn bobol go iawn;

dwi'n gwybod hynny'n ffaith a minna'n eu nabod yn dda. Roedd eraill yn bobol go iawn, ond wedi'u peintio'n ofalus â phaent y dychymyg, a'u gwisgo â gwisgoedd o wardrob y crëwr jôcs, a rhoi llais arbennig iddynt, a brawddegau newydd i weddu i'r llais.

Roedd fy nhad yn un o'r brid yna o bobol gafodd y ddawn a'r cyfle i wneud i bobol deimlo'n well. Am gyfnodau hir iawn doedd dim rhaid i'w jôcs fod yn hollol wir bob tro – jôcs oeddan nhw, er bod elfennau cryf o wirionedd yn ddigon i'w gwneud yn wir. Er, cofiwch mai dweud jôc mae llawer, ond perfformio jôc y byddai Nhad.

Roedd 'na rywbeth yn digwydd rhyngddo fo a'r gynulleidfa o'r foment pan oedd o'n camu ar y llwyfan. Mae'n rhywbeth na allwn ei ddisgrifio, na dweud beth ydoedd, ond heb os nac oni bai, roedd yn bodoli. Mae'n debyg mai dyna'r gwahaniaeth rhyngddo fo a fi – copi oeddwn i. Ches i erioed y profiad o gynulleidfa'n cynhyrfu o fy mlaen; chwerthin, do, chwerthin heb reolaeth, do, ond doedd gen i mo'r cyffur hwnnw oedd yn cyffroi a meddiannu meddwl a dychymyg y gynulleidfa fel oedd yn digwydd pan fyddai fy nhad ar y llwyfan. Fy nghamgymeriad mawr i oedd ceisio ail-greu hynny, pan nad oeddwn yn gwybod beth roeddwn yn ceisio ei ail-greu. Doedd ryfedd felly fod pobol yn dweud, 'Da iawn ti, ond fyddi di byth cystal â dy dad.' Mi ddois i ddeall ymhen hir a hwyr bod y bobol hyn yn dweud y gwir. Roeddwn yn gwybod jôcs fy nhad ond heb ddarganfod ei fformiwla. Dyna pam y rhois i'r gorau i'r ffwlbri.

Mi oedd fy nhad yn mwynhau adrodd straeon doniol, yn union fel mae Gareth Bale yn mwynhau chwarae efo pêl. Roedd Charles yn mwynhau chwarae efo jôc, ei throi a'i throsi, ei chicio, a'i chrymanu i newid cyfeiriad, ei mynwesu fel petai'n eiddo personol iddo fo, a'i thargedu'n gywir i sgorio gôl gofiadwy.

Dyma i chi *joke of the day* gyda *slow-motion action replay* a sylwadau'r sylwebydd yn disgrifio beth oedd yn digwydd.

'O'n i isio bod ym Mangor, 'lwch. Ia, dydd Iau diwetha, i actio yn *Awr y Plant*. [Y gwirionedd yn gryno, diwrnod ac amser.] Ro'n i 'di meddwl yn siŵr y baswn i'n dal bỳs pedwar o Fotforth i Fangor. Ol diawch, mi oedd Chals [byddai weithiau'n dweud 'Chals' yn hytrach nag 'mi oeddwn i'] yn torri gwair yn Cerrig Duon am hannar awr 'di dau, ia, hannar awr 'di dau. [Ailadrodd i bwysleisio'r brys, a phwysigrwydd ei waith.] Ddalia i byth fỳs bedwar [panig, mae'n dechrau cynhyrfu], be wna i, medda fi wrtha fy hun. Doedd dim amdani ond gadal y gwair, ac off â fi. Ol be nawn i 'te? [Tipyn bach o greu... a chwilio am gydymdeimlad.] Drwy lwc, pan ddois i ben lôn Cerrig Duon, mi oedd Bob Glan-llyn yno. [Cymeriad go iawn, yn ffermio yn union dros y lôn bost i Cerrig Duon. Darlun gwir i'w helpu i weld y sefyllfa.] Medda fi wrth Bob, "Os croesa i eich cae chi, Bob, fedra i ddal trên chwartar i bedwar o Llangwyllog i Fangor." [Ffeithiau cywir. Roedd yn bosib croesi caeau Glan-llyn i gyrraedd stesion Llangwyllog, ac roedd trenau'n rhedeg oddi yno i Fangor bryd hynny. Erbyn hyn mae'r cyfan yn barod ar gyfer y diweddglo a'r frawddeg sy'n troi'r stori'n jôc.] Medda Bob, "Os bydd yr hen darw coch 'na yn cae, mi ddali di drên chwartar i dri!"'

Wn i ddim am neb oedd yn medru trosglwyddo ei fwynhad o ddweud stori i'w gynulleidfa yr un fath â fo, a'r gynulleidfa yn gwybod bod Charles wrth ei fodd yn dweud y stori. Byddai'n gwirioneddol fwynhau cyfeirio at gymeriadau go iawn, cymeriadau y byddai'n mynd i ymweld â nhw, yn siarad ar y stryd efo nhw neu wedi gweithio efo nhw, a byddai'n cael yr un pleser a boddhad yn dweud stori am y cymeriadau yr oedd o'i hun wedi'u creu, boed y cymeriad yna'n blentyn ysgol neu'n hen ŵr ar ei wely angau. Roedd ganddo barch aruthrol at y cymeriadau a wnaeth iddo chwerthin ac a ddaeth yn rhan o'i sgript.

Wrth ddweud ei stori byddai Nhad yn gwneud i'r cyfan swnio mor wir â phosib. Byddai'n creu darlun o'r sefyllfa, y pentra, a'r lleoliad o fewn y pentra, gan roi llwyth go dda o wirioneddau yn y rhagarweiniad a'r disgrifiadau y byddai llawer o'i wrandawyr yn gyfarwydd â nhw. Dwi fel petawn yn cael fy ngharior 'nôl rŵan rhyw 59 o flynyddoedd, yn ôl i neuadd bentra yn Sir Fôn, ac yn ailwrando ar bob gair, a sylwi ar bob symudiad ac anadl.

Braint fawr i mi oedd cael perfformio o flaen cynulleidfaoedd Cymru, fel mae llawer i fab yn dilyn crefft eu tad, boed nhw'n seiri, plymars, ffarmwrs neu fwtsieriaid. Mae'r hyn maen nhw wedi'i weld a'i brofi fel petai'n dod yn rhan annatod ohonynt. Mi wn am deulu o seiri da iawn yng Nglynceiriog, a'u gwaith yn werth ei weld, ac mi roedd y meibion yn llifio a thrin y coed yn union fel eu tad. Mawr oedd eu clod a'u braint. Dilyn crefft fy nhad oedd fy nymuniad inna hefyd, a chael pobol i chwerthin, cael canmoliaeth a chael mwynhad.

Fel meibion y saer, mi gefais inna sawl gwers, ac wedi i mi berfformio byddwn yn cael fy nhynnu'n ddarnau gan fy nhad. Byddai'r sawl a'i clywai yn meddwl ei fod yn gas efo fi, ac yn fy meirniadu'n llawer rhy hallt, ac nad oedd hynny o ddim cymorth o gwbwl i mi – yn wir, yn ddigon embarasing. Ond y gwrthwyneb oedd yn wir. Wrth iddo fy nharo i lawr, fel petai, roeddwn i'n codi'n gryfach ac yn fwy penderfynol. Byddai'n dweud pethau megis, 'Mae dy linellau di'n rhy hir' ac mi oedd yn dweud y gwir. 'Ti'n tynnu gormod o sylw oddi ar y *punchline*.' Mi oedd hynny'n wir hefyd. 'Ti'n tynnu gormod o sylw ata chdi dy hun.' Wel, dadleuol oedd y sylw hwnnw. 'Mae'r gair allweddol yn rhy bell o'r *punchline*. Tria osgoi deud "medda fo" a "medda hi" mor aml.'

Tra bydda i byw, wna i ddim anghofio'r cyngor gorau a'r

mwyaf gwerthfawr roddodd o i mi, sef yr un cyngor ag a roddodd Wil Bryan i Rhys Lewis yn nofel Daniel Owen. Pan oedd Rhys ar fin mynd i'r weinidogaeth fe'i siarsiodd i fod yn 'true to nature'. Mi fydda i'n meddwl weithiau mai dyna beth oedd yn gwneud Nhad mor arbennig hefyd: doedd o ddim yn trio bod yn rhywun arall.

Fo ei hun oedd Nhad, ble bynnag oedd o a beth bynnag y byddai o'n ei wneud a phwy bynnag oedd y cwmni. Hogia ar y dôl yn Llangefni, er enghraifft, fyddai'n sefyllian o gwmpas yn gwneud dim o fore gwyn tan nos. Byddai yr un mor gyfforddus yn trafod pynciau'r dydd efo hogia'r werin oedd yn yfed yn y Foundry a'r Ship ag a fyddai wrth drafod yr un pynciau efo enwogion a sêr y teledu, rhai'n bwysig a ffals. Byddai yr un mor hapus mewn eisteddfod cefn gwlad yn mwynhau cwmni'r werin go iawn ag y byddai o ar faes y Genedlaethol yn llofnodi ei enw i bobol ddiarth. Yr un oedd Charles ymysg pwysigion llywodraeth, aelodau seneddol a chynghorwyr ac ar garped coch Palas Buckingham â'r person a ymwelai â chartrefi henoed ac ymhlith ffrindiau mewn rhai cartrefi digarped yn nhai cyngor Bodffordd.

Ond a oedd y cadno bach ar adegau yn manteisio ar y ffaith fod pawb yn ei nabod? Oedd, 'chi, o oedd! Yn arbennig pan oedd o isio parcio'r car yn nes at y pafiliwn na'r maes parcio swyddogol yn yr Eisteddfod Genedlaethol. Ac wedyn, mewn neuadd lle'r oedd eisteddfod neu gyngerdd yn cael ei gynnal, mi oedd y bobol yma'n falch o helpu eu harwr. Doedd neb yn dweud 'na' wrth Chals.

Mi oedd hefyd yn ddyn cyfrwys iawn pan fyddai'n dŵad yn fater o barcio'r car mewn mannau hollol amhosib. Dwi'n cofio fel roedd o pan fyddai'n methu cael lle i barcio yn Ysbyty C&A (Caernarvonshire and Anglesey), a ni blant yng nghefn y car yn disgwyl cael mynd i mewn i weld Mam. Mi fydd pawb a ymwelodd â'r C&A yn nabod ac yn gwybod am y *car park attendant* enwog oedd yno, bob amser yn gwisgo côt wen a sbectol drwchus, ac ychydig yn gloff. Byddai'r creadur bach yn ceisio'i orau glas i ffeindio lle parcio i bawb, ond fyddai o byth yn panicio. Pan oedd y maes parcio'n llawn i'r ymylon, pob modfedd o darmac wedi'i chymryd, pob car a fan, lorri a bỳs yn gorwedd yn ddiogel yn eu lle, byddai'r dyn bach yn y gôt wen fel petai'n cael ei feddiannu gan ysbryd pwysigrwydd nad oedd yn gweddu o gwbwl iddo fo na'i swydd. Mi fyddech yn ei glywed yn gweiddi'n uchel yn acen Bangor ar ei gorau, 'Yha can't park there, aye', 'Oi, yha can't park there, aye'. Byddai'r gorchymyn hwn yn adleisio dros bob man am o leiaf chwarter awr ar ôl i'r maes parcio lenwi, a fyddai neb yn meiddio dadlau hefo fo.

Dychmygwch Nhad yn cyrraedd y maes parcio yn yr Austin A40 yn hwyr ac isio mynd i weld Mam, ac yn llygadu'r gofalwr yn ei gôt wen yng ngwaelod y maes parcio. Er nad oedd fy nhad yn nabod y dyn yn rhy dda, mi wyddai am y cyfrifoldeb oedd ganddo, ac mor anodd oedd plesio pobol oedd yn ceisio cael lle i barcio er mwyn cael mynd i ymweld â'r cleifion. Wrth gwrs, byddai pawb ar frys, fel morgrug wrth eu gwaith yn rhuthro i fyny ac i lawr, ar garlam cyn i'r gloch ganu yn dynodi bod y cyfnod ymweld ar ben, a phobol heb gael dweud helô na gosod y botel Lucozade ar y bwrdd wrth y gwely, na'r blodau oedd wedi costio cymaint iddynt.

Nhad yn agor ffenest y car, a'i eiriau melfedaidd caredig cyntaf oedd, 'Brysur iawn yma heddiw, doctor.' Roedd y ffaith i'r gofalwr gael ei alw'n ddoctor, ac ynta yn y mŵd pwysig a phawb o dan ei swyn hypnotig, wedi'i ysgwyd. Mi wnaeth yr un frawddeg yna gadarnhau ei bwysigrwydd a'i swydd yn fwy fyth. 'Wn i'm wir sut ydach chi'n medru llwyddo i wneud be 'dach chi'n neud,' meddai Nhad wedyn, fel petai'r dyn newydd roi llawdriniaeth anferth ar y galon ac wedi achub bywyd dynes. 'Mmm, wn i ddim wir, a phawb yn gweiddi a mynnu cael 'ych sylw. Na wn i wir, mae'n cymryd tipyn o ddyn i wneud be 'dach chi'n neud... Lle fedra i daflu yr hen gar 'ma, 'dwch?' Credwch fi neu beidio, mi ffeindiodd le i Nhad barcio. Do, wir i chi.

Roedd gan fy nhad stori am y dyn parcio yma. Yn ei ffordd ei hun, roedd y gofalwr parcio yn ddyn doniol iawn. Ond mi oedd yn un gwyllt, a ffysi. Oswald Gruffydd, ffrind i Nhad ac actor da iawn o Fangor, yn dweud am ddynes o Fangor Uchaf yn trio parcio rhwng dau gar. Wedi bod wrthi am tua chwarter awr, mi herciodd yr hen *attendant* ati, sylwi'n syth ar y sticeri o wahanol lefydd glan y môr roedd y ddynes 'ma 'di bod yn ymweld â nhw ar ffenestri'r car, ac meddai o, 'Dwi'n gweld bo chi 'di bod yn Llandudno, Morecambe, Blackpool, Skegness a'r Rhyl. Siawns gin i na fedrwch chi fynd i mewn i fan'na.'

Sôn oeddwn i, cyn i mi alw yn y C&A i weld y *car park attendant*, fod fy nhad wedi rhoi sawl cyngor i mi ac i eraill. Mi wn i sicrwydd fod y cynghorion syml roddodd fy nhad i mi wedi talu ar eu canfed. Roedd yn hael ei gymwynas ac wrth gofio a gweithredu ar ei gynghorion daeth parch i mi ymysg rhai o fawrion y byd comedi. Yn anffodus i mi, nid yma yng Nghymru chwaith. Dydi o ddim yn draddodiad nac yn arferiad yn Gymraeg i gynhyrchu digrifwyr unigol, er mi gredaf fod y cwmni cynhyrchu Damage yn gwneud hynny erbyn hyn. Rydan ni i gyd, pwy bynnag ydan ni, angen cyngor, 'dan ni angen y llygad neu'r glust ychwanegol. Tydi darllen sgript i weld a ydi hi'n addas i'r rhaglen ddim yn ddigon da.

Wrth gofio gwaith paratoi fy nhad, a'i gynghorion i mi, roedd gen i ddigon o hyder i ddweud wrth Shane Richie, Billy Pearce, Jimmy Cricket, Cannon and Ball, Mike Doyle, Andy Jones, Joe Pasquale ac eraill i docio, neu newid gair, newid trefn y frawddeg, dweud wrthynt weithiau bod angen awgrymu rhywbeth yn hytrach na'i ddweud, gadael i'r wyneb greu'r stori, gadael i'r gynulleidfa weld y digrifwch yn hytrach na'i glywed bob tro. Mae Gareth Owen, y digrifwr o Landudno a rheolwr Pafiliwn y Rhyl, yn ffonio'n aml am gyngor, ac yn gwerthfawrogi'r glust ychwanegol yna.

Nid dweud ydw i mai ffordd fy nhad a fy ffordd i yw'r unig ffyrdd o fod yn ddoniol, na, ddim o bell ffordd. Rhaid parchu'r digrifwr unigol bob amser, cydnabod ei arddull, a sylweddoli hynny. Does dim ond rhaid edrych 'nôl ar y cyfresi *The Comedians*, *Jokers Wild* a *Live at the Apollo* i sylweddoli bod pob digrifwr yn wahanol, ond yn y bôn yr un ydi'r rheolau.

Sawl blwyddyn ar ôl marw Nhad, mi wnes gyfarfod â Mike Craig, dyn arbennig iawn o ardal Bolton. Hawdd i chi ofyn beth sydd a wnelo'r Sais yma o Swydd Efrog â Chymro Cymraeg o Fodffordd. Yn syml iawn, mi gefais y fraint a'r profiad o weithio efo'r ddau. A gan fod y bennod hon yn dwyn y teitl 'Fi, Dad a digrifwch', manteisiaf ar y cyfle i ddweud pa mor debyg oedd fy nhad i un o ysgrifenwyr comedi gorau Prydain. Mi fyddai Nhad wedi cael modd i fyw petai wedi'i gyfarfod, gan ei fod yn gyfrifol am rai o raglenni comedi gorau y BBC yn Lloegr.

I mi sydd wedi ymwneud â chomedi ar hyd fy oes, rhaid cydnabod bod treulio amser yng nghwmni'r naill yr un mor bleserus ac addysgiadol â bod yng nghwmni'r llall. Fyddech chi byth yn credu'r tebygrwydd rhwng y ddau: y ddau'n anadlu comedi, yn dadansoddi a chynhyrchu comedi'n union yr un fath, ac yn rhannu comedi'n hapus braf fel ei gilydd. Roedd pob cyngor gefais i gan fy nhad yn cael ei adleisio gan Mike, pob brawddeg ddoniol gan Mike yn fy atgoffa o frawddegau doniol fy nhad. A'r hyn sy'n bwysig i mi, ac yn gadarnhad o ddawn naturiol fy nhad, gan gofio na chawsai addysg, oedd fod llawer o'r hyn a ddywedodd Mike wedi'i blannu ynof yn barod.

Dyna i chi sut ddigrifwr oedd Charles Williams – cystal â mawrion comedi'r byd... ond doedd o'i hun ddim yn gwybod hynny.

Roedd Mike, fel Nhad, yn chwilio am gomedi a sefyllfa gomedi ym mhob math o wahanol lefydd, troi sefyllfaoedd cyffredin yn anghyffredin... wrth sefyll yn llonydd yn rhywle yn gwneud dim. Fyddai Mam byth yn torri ar draws y tawelwch gan y byddai'n gwybod bod ei gŵr yn gweithio, a'i ymennydd yn mynd ffwl sbîd... Roedd y ddawn ganddynt i weld a chlywed comedi ym mhob man: ar y bỳs; mewn caffi; gêm bêl-droed; bwydo'r plant; yn yr ardd; a'r man gorau un, mewn syrjeri doctor.

Dwi'n cofio cael cynghorion gan yr athrylith Mike Craig. Cyn iddo ymddeol yn 1993, Mike oedd cynhyrchydd comedi mwyaf llwyddiannus y 1970au a'r 1980au gyda'r BBC ym Manceinion. Bu'n gyfrifol am dros 1,200 o sioeau comedi radio a theledu cynnar, yn gyfrifol am sioeau comedi Harry Worth, Morecambe and Wise, Harry Secombe, Ken Dodd, Bob Monkhouse, Eric Sykes, Benny Hill, Roy Hudd, Tommy Cooper, Dora Bryan, Paul Daniels a llawer mwy. Fo oedd y dyn sgwennodd sgets enwog Morecambe and Wise gydag Angela Rippon yn dawnsio.

Roedd Mike yn byw comedi, yn bwyta jôcs i frecwast, cinio, te a swper, ac ambell *one-liner* rhwng prydau. Mi ddaeth i amlygrwydd fel sgwennwr comedi i'r anfarwol Freddie 'Parrot Face' Davies yn y 1960au, pan ddaeth y digrifwr hwnnw'n boblogaidd iawn. Yn 1978 daeth yn un o gynhyrchwyr adloniant ysgafn gorau'r BBC. I mi'n bersonol, ei gyfres orau oedd *The Grumbleweeds* ar Radio 2. Braint i mi'n ddiweddarach oedd cael rhannu llwyfan gyda'r bechgyn dawnus yma yn y City Varieties Music Hall, Leeds.

Bu farw Mike ar yr 28ain o fis Hydref, 2010, gan adael gwaddol amhrisiadwy o ddeunydd a chynghorion ar gyfer comedi, ac mae ei ddylanwad aruthrol i'w weld yn eglur ar ddigrifwyr heddiw.

Er bod Mike wedi marw, dwi'n dal i gadw mewn cysylltiad efo'i wraig, Susan, o dro i dro, ac yn ddiweddar dywedodd hi wrtha i fod yr holl ddeunydd a ysgrifennodd ac a gynhyrchodd ei gŵr i'r BBC yn ddiogel yn archifdy Llyfrgell Prifysgol Salford, Manceinion.

Mi o'n i'n arfer dweud wrth Mike, 'Pity my father never met you.' Dwi'n hiraethu mwy am y seiadau comedi a gawn efo Nhad ac yn dod i sylweddoli y gwirioneddau mawr a gawn yn y seiadau hynny. 'Wnaiff neb, pwy bynnag ydyn nhw, ddim byd ohoni yn y byd digrifwch,' meddai o, 'heb gael y *basics* yn iawn.'

Dyma i chi un peth na wnes erioed ei ddeall am fy nhad, ac sy'n dal i fy nrysu yn lân: pam, o pam, er ei fod yn gwybod pob jôc air am air a thu chwith allan, ac am wn i'n gwybod ym mha drefn y byddai'n eu dweud, roedd o bob amser yn mynd ar y llwyfan efo darn o bapur yn ei law, a hwnnw fel arfer yn hen ddarn budur wedi crebachu, ac yn torri'n hawdd. Byddai'n edrych ar y papur bob hyn a hyn, er nid yn ystod dweud jôc, a byddai hynny'n tynnu sylw, ond dwi'n gwybod i sicrwydd nad edrych am y jôc nesaf roedd o. Dwi'n cofio gofyn iddo fwy nag unwaith, 'Pam y papur, Dad? 'Dach chi'n edrach mor amaturaidd efo darn o bapur yn eich llaw.' A'i ateb? 'Rhaid cael papur, achan,' felly ches i ddim ateb. Tybed a oedd y papur yn rhyw fath o rwyd achubol oddi tano petai'n disgyn? Wn i ddim.

I fy nhad, roedd yn fraint cael gwneud i bobol chwerthin, a theimlo i'r cyfan fod yn werth yr aberth. Mi fyddai o'n teithio adra o gyngerdd yn y car yn llawer hapusach nag ar ei ffordd i gyngerdd, ac wrth esbonio'r gwahaniaeth byddai'n mynd yn ôl at eglureb arall i fy nysgu. 'Yli rŵan, gwranda... pan mae dy fam wedi bod yn brysur drwy'r dydd yn coginio, i wneud bwyd i ni gyd, a'r sosbenni'n berwi efo danteithion o bob math, y popty'n llawn efo cig a thatw rhost, does dim yn well gan dy fam na'n gweld ni'n gwledda a'i fwynhau. Mae'r darn o frechdan ola ti'n ei defnyddio i lanhau'r grefi trwchus brown oddi ar dy blât, y grefi a gymysgodd hi mor ofalus, yn rhoi boddhad a phleser mawr iddi. Mi oedd yr amser a'r ymdrech o baratoi'n nerfus gan obeithio y byddai popeth fel y cynlluniodd hi yn werth chweil wrth iddi weld y platiau gwag, a daw gwên ar ei hwyneb... ac mi wnaiff yr un peth eto fory.' A dyna fi wedi cael gwers arall gan yr athrylith, ac yn meddwl mwy fyth am y paratoi.

Mi oedd Nhad yn sgwennu deunydd ei jôcs ei hun, o'i brofiad ei hun, a fo hefyd oedd yn sgwennu rhai o sgetsys *Noson Lawen* y BBC o Neuadd y Penrhyn, Bangor. Ond y trît mwyaf i mi oedd cael Glyn ac Elwyn Pensarn yn dŵad i'n tŷ ni pan oedd angen deunydd sgets arnynt er mwyn cystadlu yn y gyfres radio boblogaidd *Sêr y Siroedd*. Yn anffodus, dwi ddim yn cofio fawr am yr hyn a ysgrifennwyd, ac, wrth gwrs, mae'r sgripts wedi mynd i ebargofiant ers blynyddoedd.

Doedd dim act ddwbwl mor ddoniol â'r rhain yn unman ar y pryd – dau oedd yn gweddu i'w gilydd i'r dim, chaech chi mo'u gwell. Mi enillon nhw bob tro, ym mhob rownd yn y gystadleuaeth. Y BBC fyddai'n rhoi testun i'r sgets, a Nhad wedyn yn sgwennu a chynhyrchu, a'r hogia'n perfformio a'r gynulleidfa wrth eu bodd.

Mae gen i frith gof o sgets am ysbyty, ac rwy'n hollol siŵr bod geiriau cymeriadau Gwalchmai yn frith drwy'r sgets... ac yn ffodus i'r tri, yn neuadd bentra Gwalchmai roedd tîm Sir Fôn yn recordio, felly mi faswn yn meddwl bod y gynulleidfa yn nabod y geiriau.

Pryd, neu ym mha gyfnod, roedd Charles Williams ar ei orau, ac yn cael ei werthfawrogi? Yn ôl y dyn ei hun, yn ystod cyfnod anodd a thrwmgalon y dirwasgiad ac i mewn i gyfnod anodd y rhyfel, pan fyddai comedi'n ysgafnhau pethau, dros dro o leiaf, ac yn rhoi ysbryd newydd i fywyd. Hyd yn oed heddiw, mae'r bobol sy'n ddigon hen i gofio'r adeg pan ddechreuodd y radio yn cofio'n fwy na dim y comedi oedd i'w glywed. Mi glywais sawl gwaith bobol yn dweud bod yr hen *Noson Lawen* yn fodd i godi calon llawer un. Cyfle i ni chwerthin ar ein pen ein hunain am dipyn o newid.

Mae gen i gof da o fod mewn recordiad sawl *Noson Lawen* yn Neuadd y Penrhyn, Bangor, ymhell ar ôl y rhyfel, a gweld y bobol yn heidio i mewn i fwynhau. Mae'n rhaid cydnabod yn onest i Sam Jones a'r criw gynhyrchu rhaglenni safonol iawn, ac wrth i mi sgwennu yr atgofion yma daeth y newyddion trist fod Merêd wedi marw – un o arwyr cenedl, o ddyddiau cynnar y *Noson Lawen* hyd at ei fedd.

Ond rhaid i ni beidio anghofio bod adloniant ac, yn wir, comedi i'w clywed ar y tonfeddi Seisnig rai blynyddoedd cyn i Sam a'r criw fentro darlledu'r math yna o adloniant. Er mor wych fyddai meddwl bod fy nhad wedi creu ei gomedi ei hun heb help o unman, rwy'n siŵr fod rhaglenni megis *Bandwagon, ITMA, Down Your Way* ac wedyn, ychydig yn ddiweddarach, *Hancock's Half Hour, The Goon Show* a *Round The Horne* wedi cael rhywfaint o ddylanwad ar y ffordd roedd yn meddwl ac yn gweithio syniad am jôc. Mae'n anochel bron fod digrifwyr o radd uchaf y cyfnod wedi'i ysbrydoli, ac mae'n debyg ei fod yn gweld cymeriadau Bodffordd a'r cylch yn y cymeriadau roedd y digrifwyr hyn yn sôn amdanynt.

Nid dweud ydw i ei fod wedi dwyn deunydd y bobol hyn – allai o ddim yn hawdd wneud hynny. Eto, mae'n bosib iawn ei fod wedi clywed brawddegau bachog, cofiadwy megis 'Can you hear me, mother?', sef *catchphrase* yr enwog Sandy Powell. Dwi'n cyfeirio ato fo gan mai fo oedd y cyntaf i roi comedi ar record feinyl 78rpm er mwyn ei chwarae ar gramoffon ac mi oedd gan Charles gramoffon, o ryw fath.

Heb os, roedd Sandy Powell yn arloeswr, ac yn entrepreneur llwyddiannus iawn. Rhwng 1929 ac 1942 mi gynhyrchodd wyth record ddwy ochr a gwerthu saith miliwn a hanner ohonynt am geiniog yr un, a gwneud elw o £60,000. Nid yn unig roedd y syniad yn dod ag o i glyw miloedd mwy o bobol oedd yn berchen ar gramoffon, ond daeth yn gyfoethog hefyd. Felly, os oedd gramoffon yn eich tŷ chi, mae'n ddigon tebyg fod llais Sandy Powell a'r frawddeg enwog 'Can you hear me, mother?' wedi'u clywed ar eich aelwyd chi.

Wel rŵan 'ta, hyn sy'n ddiddorol. Erbyn dechrau'r 1960au mi ddaeth Sandy Powell yn ôl yn enwog ar y radio gyda'i sioe *Sandy's Hour*, ac mi ddaeth y frawddeg fachog enwog i glyw ac ar wefusau llawer mwy. Os oedd 'na awr gyfan o gomedi ar y radio, gan ddigrifwr o'r un arddull â Nhad, tybed ai o fan hyn roedd y digrifwr o Fodffordd yn cael syniadau am ei gomedi? Fyddai dim ots petai wedi llên-ladrata pob gair, oherwydd roedd ei ddawn dweud a'i gymeriadu cywrain yn ddigon i blygu cynulleidfaoedd o Fôn.

Cofiwch, falla na chlywodd o erioed *Sandy's Hour*, a 'mod i'n gwneud cam â'r dyn. Fodd bynnag, wrth i mi ddarllen mwy am ddigrifwyr cyfnod Sandy a'i debyg, mae'n gwneud i mi feddwl...

Mi wn erbyn 1943 ei fod ar daith yn actio gyda chwmni y Genhinen, a'r cast yn llawn o bobol ffraeth fel Dai Williams, Meredydd Evans, Eic Davies, Oswald Gruffydd a Prysor Williams. All neb ddadlau nad oedd y cwmni yma'n gwmni llawn hwyl, ac yn sicr byddai rhannu straeon a jôcs yn eu mysg, a'r straeon yna wedyn yn cael eu rhannu ar lwyfannau Cymru. Fel yn ein dyddiau ni, mae pobol yn siarad efo'i gilydd am y jôcs maen nhw wedi'u clywed gan ddigrifwyr heddiw, felly mae'n ddigon posib bod fy nhad hefyd wedi manteisio ar y sgyrsiau difyr a glywodd yn y car. Digon tebyg felly fod Wil a Dai o Rydaman wedi dod yn Glyn a Now o Berffro. Os ydi hi'n stori dda, pam ei chuddio dan y pridd? Rhaid dod â hi i'r golwg, ei phlannu hi yn rhywle arall i flaguro, mewn ffurf ychydig yn wahanol efallai.

Un o'r profiadau gorau ges i wrth sylwebu ar bêl-droed i *Camp Lawn* BBC Radio Cymru oedd teithio efo criw o sylwebyddion oedd yn siarad am bêl-droed, gan drafod y gêm, hanes y tîm, yr unigolion, y stadiwm ac yn y blaen. Mi ddysgais lawer, ac mi fyddwn yn dyfynnu'r hyn ro'n i wedi'i glywed yn y car yn fy sylwebaeth y pnawn hwnnw. Gwnâi hynny i'r gwrandawyr feddwl 'mod i'n fwy gwybodus nag yr oeddwn mewn gwirionedd. Yr hyn roeddwn yn ei wneud oedd manteisio ar yr hyn roeddwn yn ei glywed, yn union fel roedd Charles yn manteisio ar ddoniolwch bro ei gyd-deithwyr, ac yn ddigon posib yr hyn roeddan nhw wedi'i glywed ar y radio.

Pan ddechreuodd comedi ar y radio, y bobol ddaeth i'r amlwg oherwydd y cyfrwng oedd Tom Mennard, Al Read, Sandy Powell, Bernard Miles, Jimmy James a Chic Murray. Roedd y rhain yn sêr anferth yn eu hanterth. Mi ydw i ers amser maith wedi bod isio sgwennu cyfrol am y mawrion hyn. Dwi wedi'u hastudio ers sawl blwyddyn ac mae gen i lond silffoedd o lyfrau dwi wedi'u darllen amdanynt.

Bron bob tro y bydd digrifwr enwog yn marw, mae rhywun yn Radio Cymru yn fy ffonio ac yn gofyn i mi ddweud gair am yr ymadawedig. Efallai y daw cyfle rhyw ddiwrnod i roi ar bapur sut mae'r dynion doniol yma wedi dylanwadu ar gymaint o ddigrifwyr, gan gynnwys fy nhad. Fel ym mhob maes, mae'r mawrion yn dylanwadu ac yn gadael eu hargraff, yn union fel mae Nhad, gobeithio, wedi dylanwadu ar eraill.

16

POBOL DRWS NESAF AC ERAILL

BYDDAI NHAD WRTH ei fodd yn dweud am y tai cownsil yn Bodffordd eu bod yn 'dai iach iawn, digon o awyr iach yn dŵad i mewn drwy bob twll a chornel, ac mi oedd 'na ddigon o dyllau. Yn y gaeaf mi oedd 'na gymaint o ddrafft mi ro'n i'n cysgu bob nos efo'r cyrtans rownd fy ngwddw, walia tena, o, peidiwch â sôn. Pan fydda Glyn Rowlands drws nesa yn cymryd asprin mi oedd 'y nghur pen i'n lot gwell.'

Dyma pwy oedd 'pobol drws nesaf' i ni fel teulu am flynyddoedd. Glyn yn ddistaw, a thueddiad i fod dipyn bach yn swil, ond yn witi iawn pan fyddai angen, a'i wraig Annie Rowlands, sef merch John Jôs Cariwr a chwaer un o ffrindiau gorau Nhad, yr anfarwol Ŵan John. Fo oedd yr un na wnaeth strôc o waith erioed yn ei fywyd, a phan gyrhaeddodd oed pensiwn mi ddywedwyd wrtho yn swyddfa'r dôl ei fod o'n gorffen efo nhw. Ei ateb ffraeth oedd, 'Wel, os dwi'n gorffan efo chi, ydach chi'n talu *redundancy*?' Sdim rhaid i mi ddweud rhagor... Cymeriad a hanner oedd Annie hefyd, fel ei brawd a'i thad. Fu dim gwell cymdogion erioed.

Rŵan ac yn y man mi fydden ni, y ddau deulu, yn mynd i lan môr efo'n gilydd, er dim digon aml, rhaid dweud, wrth edrych 'nôl. Llond fan Glyn Rowlands a llond car A40 Nhad, ond bois bach, sôn am hwyl.

Mi fyddai Nhad wrth ei fodd yng nghwmni Glyn, jyst yn gwrando arno'n siarad am ddigwyddiadau ar yr aelwyd, yn y gwaith neu beth bynnag. Byddai'r hen Rowlands yn dueddol o chwyddo'r gwirionedd, ac mi wyddai fod fy nhad yn gwybod eu bod yn gelwyddau, felly byddai'r celwydd yn tueddu i dyfu'n fwy ac yn fwy. Mi wyddai Rowlands hefyd y byddai Nhad yn adrodd ei gelwyddau ar y llwyfan, a byddai wrth ei fodd. Dreifio lorri casglu llaeth o amgylch ffermydd Môn fyddai Glyn. Dyma un o'i straeon:

'O'n i'n mynd o amgylch ardal Mynydd Bodafon yna, 'chan, a dyma 'na ddafad yn neidio i mewn i'r cab, drwy ffenast y pasenjer fel'na. Ond wrth lwc, mi roedd y ffenast yn gorad ar fy ochr i ac mi neidiodd allan drwyddi, 'chan,' ac ar ôl pob stori, fel y gŵyr pawb oedd yn ei nabod, ei *catchphrase* enwog, 'Ia'n duwcs, 'chan.'

Dywedodd Nhad stori wych yn breifat am Annie Rowlands. Mi oedd Annie'n smocio'n drwm, smôc yn ei cheg o fore gwyn tan nos, ac eto mi fuodd byw ymhell heibio oed yr addewid. Un pnawn ar draeth Rhoscolyn mi oedd braidd yn wyntog ac Annie'n cael trafferth mawr i danio'i ffag, ac er mwyn trio cael tipyn o gysgod dyma hi'n rhoi'r flanced roedd hi'n gorwedd arni dros ei phen. Y peth nesaf welwyd oedd mwg yn dŵad oddi tan y flanced, 'run fath ag y bydd Indians yn gwneud *smoke signals*. Rhuthrodd pawb draw ati, a dyma'r ddrama'n dechrau. Dwi'n cydnabod na fedra i byth wneud cyfiawnder â'r ddrama a'r ddeialog oedd rhwng fy nhad a hi ar bapur. Annie'n pesychu a phesychu a phesychu, a bron yn methu siarad, pesychiad rhwng pob hanner gair. 'Rôl dŵad ati ei hun yn weddol, 'rôl pesychu ei henaid allan ar dywod y môr, a'i brest yn gwichian fatha moto-beic *two stroke*, gyda'i ffag yn dal i fyny rhwng ei dau fys i'w dangos, meddai, 'Dyma'r unig gysur dwi'n 'i gael, Chals Willias.'

Mi oeddan ni'n clywed popeth fyddai'n cael ei wneud a'i ddweud drws nesaf gan Glyn ac Annie a'r plant, fel roeddan nhw, wrth gwrs, yn clywed beth oedd yn digwydd yn ein tŷ ni, ac mae'n siŵr eu bod nhw hefyd wedi cael sbort. Os oeddan ni isio sylw pobol drws nesaf mi fydden ni'n curo ar y peipiau dŵr a byddai llais uchel o'r ochor arall yn holi, 'Be 'dach chi isio?'

Wrth reswm, roedd y sefyllfa hon yn gyfle amhrisiadwy i Nhad a'i gomedi; yn wir, doedd unman gwell ar wyneb daear na byw ym Modffordd. Gyda Glyn ac Annie drws nesaf, doedd dim rhaid iddo fynd i unman na phrynu llyfrau jôcs, roedd comedi'n fyw o'i gwmpas bob dydd. Heb yn wybod iddynt eu hunain, roedd pobol Bodffordd yn creu comedi cystal os nad gwell nag unrhyw gomedian.

Fodd bynnag, am wn i, ychydig iawn o hanes pobol drws nesaf go iawn oedd yn ei berfformiadau ar y llwyfan, radio a theledu, er mi wn iddo rannu'r cyfryw straeon efo ffrindiau agos a ffyddlon, y dethol rai megis Stewart Jones, J O Roberts ac, yn fwy diweddar, John Pierce Jones a John Ogwen a rhai o gast *Pobol y Cwm*. Gwyddai'n dda y byddai'r rhain yn gwerthfawrogi'r hiwmor ac yn gwybod nad bychanu na gwneud sbort ar draul y bobol drws nesaf roedd Nhad.

Gwyddai'r rhain hefyd fod dawn dweud stori Nhad yn gyffur ynddo'i hun, ac roeddan nhw'n awyddus i gael mwy. Gwyddent hefyd fod dawn lliwio'r stori ganddo, a'i fod yn medru eu hargyhoeddi bod pob gair mor wir ag adnod yn y Beibl, er eu bod yn gwybod yn dawel fach nad oeddan nhw bob tro.

Wrth gwrs, mae 'na straeon y byddai o'n eu dweud am Ŵan John, ac mi fyddai Ŵan John wrth ei fodd. Mi fyddai pobol ar y stryd yn Llangefni'n dweud wrtho fod Charles yn siarad amdano neithiwr. 'Oedd, mwn... O'n i'n dda?' Mi fuo Nhad yn garedig iawn efo'i fêt, Ŵan John, ond dwi am gadw'r gyfrinach yna rhwng y ddau. Mi oedd Ŵan John a'r teulu drws nesa'n chwerthin pan fyddai Nhad yn dweud y straeon amdanynt, ac yn gwybod hefyd fod Chals drws nesaf yn un da am ychwanegu rhywfaint o ddigrifwch i'r stori.

Dyma fel y byddai Nhad yn sôn am yr hyn a glywsai. Mi gafodd Glyn ac Annie gi i'w warchod, i ychwanegu at y genedl oedd yn byw drws nesaf yn barod. Roedd pawb yn gwybod nad oedd 'na le yn y tŷ i'r plant, heb sôn am gi. Pwdl oedd o, ond nid pwdl cyffredin oedd hwn, ond 'Royal Giant Poodle'. 'Pedigri,' meddai Ŵan John, perchennog y ci. 'Papura efo fo fatha *Herald Môn*.' Croesiad o bwdl arferol a German Shepherd ydoedd yn wreiddiol, ond fod yna ychwanegiadau na wyddai neb amdanynt ar hyd y ffordd yn rhywle. Bruce oedd enw'r ci, a fu erioed gi efo gwell enw ar gyfer Ŵan John. Gan fod cryndod yn ei lais, byddai Bruce yn mynd yn 'Byyrwââs'. Mi oedd yn gi ofnadwy o swnllyd, ac er ein bod ni'n byw yn rhif 4 roeddan ni'n ei glywed yn cyfarth o gartra Ŵan John yn rhif 20. Wel, i fod yn deg, mi oedd pawb yn ei glywed, dim ots lle'r oeddach chi'n byw.

Byddai Nhad yn ei elfen yn hel atgofion am y ci unigryw yma, ac mi ddaeth, o dipyn i beth, yn reit ffond o'r hen Bruce. Byddai'r ci'n dŵad i aros drws nesaf at Glyn ac Annie bob hyn a hyn, ac wedyn, ar ôl stop tap, byddai Ŵan John yn galw i'w nôl o er mwyn mynd â fo adra.

Mi fyddai'r hen gi'n rhoi cyfarthiad bob tro y byddai rhywun yn pasio drws ffrynt tŷ'r teulu Rowlands, ond yn waeth, mi wyddai'n syth pan fyddai ei feistr wedi dŵad i lawr oddi ar y bỳs hannar awr wedi deg yng ngwaelod y pentra. Wedyn mi ddechreuai gyfarth yn wirion o afreolus yn syth. Roedd cyfarthiad trwm, uchel ganddo, fatha baswr efo llond brest o annwyd. Mae'n debyg ei fod yn gallu ogleuo ei feistr o bell, ac mi fyddech yn clywed Ŵan John yn dechrau gweiddi wrth ymyl Ysgol Bodffordd, 'Byyrwââs, Byyrwââs, Byyrwââs, bee hay yo' sel'!'

'Mi o'n i a Jini'r wraig,' meddai Nhad, 'yn cael yr entyrteinment gora drwy'r wal dena oedd rhwng tŷ ni a drws nesa.' Anamal iawn y byddai Glyn yn mynd am beint.

Dwi ddim yn meddwl i mi'n bersonol erioed ei weld wedi meddwi. Byddai Nhad yn dweud mai ychydig iawn o'r stwff brown oedd ei angen arno i'w wneud yn gymeriad hollol wahanol. Mi fyddai o'n dweud mewn sgwrs dros y wal efo Nhad mai dim ond mynd er mwyn cael brêc oedd o. Yr hyn sy'n od, os oedd o'n od hefyd, oedd y byddai Annie hefyd yn mynd yn ddynes hollol wahanol. 'Ydi o werth o, Charles?' Hyn sy'n rhyfeddol o od i mi: mi fyddai Glyn ac Annie wedi cael ffrae fawr 'rôl i Glyn ddŵad adra, ac wedyn mi fyddai o ac Annie a Nhad a Mam yn trafod yn hollol agored yr hyn oedd 'di digwydd y noson cynt, ac Annie'n ymddiheuro am y sŵn:

'Gobeithio dy fod yn sylweddoli dy fod wedi dŵad i dy wely yn noeth nithiwr, yn gwisgo dim ond dy gap, Glyn.'

'Y, pa bryd oedd hynny, Annie cariad?'

'Ti'n mynd allan efo'r bobol rong, yli, wyt, y bobol rong. Dŵad â chdi adra adag yna o'r bora, dŵad i mewn adag yna o'r bora yn gweiddi a canu fel'na yn yr oria mân.'

'Wel, jyst dipyn o hwyl, 'te, Annie.'

'Hwyl, hwyl, ddudist ti? 'Nes i dy glwad yn cropian i fyny y grisia 'na – gwranda, mi fyddi siŵr dduwcs o dorri rhwbath wrth neidio i fyny ac i lawr y landing yn trio tynnu dy drowsus i ffwr. O'n i'n meddwl 'sa chdi byth yn dŵad allan o'r bathrwm. Wn i'm be oeddach chi, Chals a Jini, yn feddwl o'r sŵn o'r tŷ bach. Mi oedd hi fel practis bras band Biwmares yna, efo'r ddau dap ffwl on, a chditha'n griddfan, "O, o, o, byth etooooo, e?" A dwi'n siŵr ti ddim yn cofio jympio i mewn i'r gwely efo'r sigarét 'na yn dy geg a gofyn i mi am dân, ac am bo fi 'di gwrthod, dyma chdi'n stripio'r dillad gwely i gyd oddi arna i a gofyn, "Dwi 'di ypsetio chdi, Annie?"'

'O ia, a lle ma'r pres i gyd yn mynd, y? Ti'n poeni dim amdana fi yma yn y tŷ heb bres. Mi est ti allan ddoe ddiwetha heb adael ceiniog yma, a pan ddaeth y boi golchi ffenestri oedd rhaid i mi gogio bo fi allan, a symud o stafall i stafall i drio cuddio oddi wrtho. Dwi'n siŵr bod o 'di 'ngweld i. Mi olchodd o yr un ffenast bedair gwaith, ac yn waeth na dim, pan o'n i hannar ffordd o dan y gwely i guddio, dyma fo'n gweiddi, "Os 'dan ni'n chwara cuddiad, Mrs Rowlands, dwi 'di'ch dal chi," ac wedyn, "I le mae'r pres yn mynd?" Wel, dim i fi, o na... Mae gin i un pâr o sgidia fflat... *high heels* oedd y rheiny pan brynis i nhw.'

Fel yna y clywais i Nhad yn dweud y stori, a fo hefyd roddodd gig ar yr esgyrn.

Glyn Rowlands wedi prynu beic, ac yn brolio'r beic efo Nhad, yn gwybod bod Nhad yn reit hoff o feics. 'Mae hwn yn ffast, Chals. Brynis i fo'n Moelfra. Boi yn gwaith yn deud bo rhaid i mi fynd i Moelfra i brynu beic, achos ma pob lôn lawr 'rallt yn Moelfra.'

Dwi wedi cyfeirio'n barod at John Jôs Cariwr, tad Annie Rowlands ac Ŵan John, yn y bennod ar Yncl Tomi. Roedd yn ddyn unigryw o ddoniol, ond doedd o ddim yn gwybod hynny, ac oherwydd hynny doedd o ddim yn trio bod yn ddoniol. Doedd neb erioed wedi'i alw'n gomedian, na gofyn iddo fynd ar y llwyfan i fod yn ddoniol; wnaeth o erioed actio mewn drama, ddim hyd yn oed yn nramâu'r capel oedd yn cael eu cynhyrchu gan Charles, ei edmygwr mwyaf. Byddai ei roi ar y llwyfan yn ei wneud yn rhywun arall, a gwneud iddo lefaru geiriau nad oeddan nhw'n perthyn iddo. Byddai'n rhaid actio i wneud hynny, a doedd John Jôs ddim yn actor – roedd ei gomedi'n dŵad o'i enaid ei hun.

Fyddwn i byth yn blino gwrando ar yr hanesion am John Jôs Cariwr. Gresyn mawr na fyddai rhywun wedi'i ffilmio fo, meddai rhywun. Wel na, diolch byth na wnaeth neb geisio, ddyweda i, er mi fu bron iawn i Nhad ei recordio ar dâp yn gudd. Nid er mwyn ei dwyllo roedd yn ei wneud yn gudd. Yr hyn roedd Nhad ei angen oedd dal ei naturioldeb.

Y syniad oedd i Yncl Tomi recordio'r sgwrs pan fyddai

John Jôs yn talu ei fil siopa ar nos Wener. O wybod ei fod yn talu bob nos Wener, mi gafodd Yncl Tomi ddigon o gyfle i'w recordio, ond ar ôl disgwyl am yn agos i flwyddyn doedd y siopwr yn dal heb recordio'r sgwrs. Dyma i chi eto rŵan hiwmor y ddau frawd yn cymysgu mor naturiol gyda'i gilydd.

'Wel, Tomi, wyt ti wedi recordio John Jôs yn talu am y baco?'

'John Jôs yn talu, ia, am y baco, Chals... Naddo.'

'Wel mi fydd 'di marw cyn i ti neud.'

'O, marw, Chals, ia, marw. Ti 'di cael *postcard* i ddeud?'

Chafodd fy nhad ddim ei ddymuniad. Ni recordiwyd John Jôs Cariwr yn talu am ei fil baco... ond 'rhoswch funud, dyma i chi gyd-ddigwyddiad. Roedd Nhad yn y siop pan oedd Jôs yn talu'r bil ac mi roddodd hyn y fath bleser i Nhad, ac i'r rhai a glywodd fy nhad yn dynwared yr olygfa honno. Dwi'n cofio cael gwefr unwaith wrth i mi geisio ail-greu'r olygfa yma o flaen cynulleidfa ym Modffordd, gyda J O Roberts fel John Jôs a Maldwyn John fel fy nhad...

JJ   Wel, Charles, pa hwyl sy?

CW   Reit dda, John Jôs, sud 'dach chi?

JJ   Sut mae'r siopwr?

Roedd Yncl Tomi ochor bella'r siop, a dyma Jôs yn galw arno.

JJ   Twm bach, ty'd yma am funud. Isio talu bil baco dwi. Ydi o gin ti? Gofyn cwestiwn gwirion hefyd, ma siŵr 'i fod o'n barod. Twm bach, ti byth yn anghofio.

Dyma Yncl Tomi efo pwt o bensel a thamaid o bapur yn rhestru'r baco a'r holl bethau eraill fel te, siwgwr a bara roedd o wedi'u cael yn ystod yr wythnos, tra bod John Jôs yn sgwrsio efo Nhad am hyn a'r llall. Dyma Jôs yn edrych lawr ar y siopwr.

JJ   Paid â phwyso mor gythreulig ar y bensal 'na, a chod dy ben weithia, a sbio drwy ffenast. Bendith y nefoedd i ti.

I wir werthfawrogi'r digrifwch oedd yn cael ei greu mor naturiol yn y siop, rhaid oedd bod yno mewn gwirionedd, er, pan oedd fy nhad yn dweud y stori mi oeddwn yn cael fy ngharïo 'no, a gweld a chlywed y cyfan drwy ddarluniau a dynwarediadau Nhad a Jôs.

Mae'n rhaid cyfaddef, mi actiodd JO a Maldwyn yr olygfa yn fendigedig hefyd. Mi oeddwn fel cynhyrchydd wedi ail-fyw pum munud gwerthfawr iawn yn hanes Chals a'i bobol.

Mi oedd Robin Dafydd, ffrind i John Jôs, wedi dŵad i fyw i Fodffordd. Dwi bron yn sicr mai Robin Goch oeddan ni blant yn ei alw. Wn i ddim yn iawn o ble y daeth o, ond mae sawl stori ddoniol amdano fo a'i wraig. Un o'r rhain oedd y stori amdano fo wedi mynd i Langefni am noson. Mi oedd yr hen gyfaill yn hoff iawn o'i lasiad. Mi aeth yn hwyr iawn a doedd dim sôn amdano pan oedd hi'n amser iddo fynd adra ac erbyn hynny roedd y bysys i gyd wedi mynd. Holi hwn a'r llall oedd wedi bod yn y dre y noson honno, ond neb wedi'i weld.

Ymhen hir a hwyr dyma'r mab yn gofyn i'w fam, "Dach chi'n meddwl 'sa well i ni fynd i chwilio am Dad?' Hitha'n cytuno, a'r ddau'n dechrau cerdded yn hwyr y nos i gyfeiriad Llangefni, ac mi gafwyd hyd iddo o'r diwedd, yn gorwedd ar ei hyd ar draws y lôn. Yn ffodus, doedd yna fawr o draffig bryd hynny. Gan ei bod yn amhosib ei ddeffro a'i godi, meddai'r mab,

'Be wnawn ni efo fo, Mam?'

'Wn i ddim, 'yn diain i, os na rown ni lampia coch cownsil rownd iddo fo.'

17

GWYLIO A GWRANDO A CHOFIO

Mi oedd gan fy nhad lwyth o gymeriadau o bob math pan fyddai ar ei orau yn gwneud un sbot hir, neu'n rhoi darlith. Roedd hi fel *Coronation Street* un dyn... os 'dach chi'n dallt be dwi'n feddwl. A dwi ddim yn ymddiheuro am ddod â'r gyfrol hon i ben drwy gofio'n llawen fy myd am Nhad yn sôn am y cymeriadau yr oedd mor hoff ohonynt.

Mi oedd ein tŷ ni fel arfer yn dŷ llawn chwerthin, ac roeddan ni i gyd yn gwybod ers pan oeddan ni'n ifanc iawn beth oedd comedi. Byddwn yn cael pleser pur yn gwrando ar Dad yn hel atgofion. Mi fyddai o'n fy nhynnu i mewn i ganol y sefyllfa, a bron nad oeddwn i'n ysgwyd llaw efo'r cymeriadau y byddai'n sôn amdanynt.

Mae'r straeon am Alun Jolly yn glasuron – dyn hollol unigryw, ffeind a doniol. Mi fyddai Nhad yn mynd yn syth at Alun pan fyddai'n ei weld, neu'n stopio'r car i siarad efo fo, achos ei fod yn gwybod y byddai gan Alun bob amser rywbeth difyr, newydd i'w ddweud.

'Dew, Alun, sud 'dach chi? Heb 'ych gweld ers talwm.'

'Wel ia, naddo, Chals bach. Wn i'm faint o wynt sy ar ôl yn y fegin 'ma chwaith, cofia.'

''Di bod yn sâl, Alun?'

'Sâl ddudist di, Chals? Sâl, do, do. Dwi'n dal yn giami 'chan. Ti'n gwbod be, Chals, dwi'n deud y gwir, ma gweld bloda yn codi ofn arna i.'

'Faint newch chi rŵan, Alun?'

'Diawl, dwi'm yn siŵr, ond dwi'r hyna dwi 'rioed 'di bod, a'r hyna dwi'n mynd, y gora oeddwn i.'

Nhad yn mentro gofyn beth oedd barn y doctor.

'Ddim yn dda, Chals. Fedar o neud dim mwy i mi, wsti. Fel ti'n gwbod, Charles, fuo fi 'rioed yn gapelwr o fath yn byd, fatha chdi. Mae gin ti docyn i'r seddi gora fyny 'na, ma siŵr, erbyn hyn. Dwi hefyd, wrth gwrs, 'di gorfod gwneud trefniada lawr yn fan'ma, beth bynnag ddigwyddith wedyn fyny 'na. Un gwirion 'di'r hen ficar 'na, Chals. Ti'n nabod o? Nath o ofyn os o'n i isio i'r ddynas 'cw oleuo cannwyll i mi. Cannwyll? Mae hi 'di ordro bocs o *fireworks*, achan.'

Mi fyddai Nhad yn dweud bod hiwmor o'n cwmpas bob dydd, ac i'w gael yn y llefydd rhyfeddaf, ac mi brofais i hyn fy hun. Ro'n i'n ffilmio cyfres deledu *Dilyn y Sêr* ac aeth criw ohonan ni i Amsterdam efo John ac Alun ar y llong. Doedd y croesi ddim yn daith hir, ond tua hanner ffordd dyma gyhoeddiad gan un o swyddogion y llong yn gofyn i ni ymgynnull yn un o'r stafelloedd. Yno cafodd cyhoeddiad ei wneud: 'Mae'n bosib bod 'na ddynas wedi disgyn dros yr ochor.' O glywed hyn, dyma ddynes o Lannerch-y-medd yn dweud wrth ei ffrind, 'Gobeithio ma'r jadan gegog 'na ar 'yn bwrdd ni ydi hi.'

Mi oedd Nhad yn bwyta llinellau doniol, nid yn eu creu nhw bob tro, ond yn eu hatgyfodi nhw ar yr adeg iawn ac yn y sefyllfa iawn. Dyna, mewn gwirionedd, mae digrifwyr sy'n gorfod delio â heclars yn gorfod ei wneud. Mae llinell dda yn ennill sawl brwydr eiriol.

Nid ar y llwyfan yn unig rydach chi'n clywed llinellau doniol. Gwrandewch ar bobol yn siarad ar eich teithiau bỳs. Un dyn yn dweud wrth y llall ar fỳs, 'Mae ffêr y bysys yn mynd i fyny a fyny... basa hi'n gynt i ni gerddad.'

Dwy ddynes arall yn siarad wedyn, 'O, dwi erioed yn fy mywyd wedi dŵad ar draws rhywun sy'n byta yr un fath â fo... a ma 'i dad yn union yr un peth.'

Wedyn, 'Mae Jac 'cw am roi *whitewash* ar walia'r garej, medda fo.'

'O neis, pa liw?'

'Nath o'm deud... gobeithio ma nid glas.'

Criw ohonan ni'n mynd ar y bỳs o Fodffordd. Gwynfor Besi oedd y cyntaf i ofyn i'r *conductor*, 'Dau, plis.'

Y *conductor* yn dweud 'Dau be?'

Meddai Gwynfor yn syth bìn, 'Paced o grisps, ia.'

Dro arall, plisman Gwalchmai'n dŵad i'r pentra. Criw ohonan ni wrth yr efail ar y sgwâr. Y plisman yn mynd yn syth at Merfyn, oedd yn lledorwedd ar y wal.

'Merfyn,' meddai o. 'Pam ma dy ddwylo di yn dy bocedi?'

Merfyn yn ateb yn syth, 'Er mwyn i mi wbod lle maen nhw ar frys.'

Dyma i chi linell ddoniol arall gan ei dad, sef Ŵan John, yn dweud wrth 'y nhad am Mrs Fletcher, nymbyr 2, yr unig Saesnes yn y pentra. 'Ogla rhyfadd drybeilig ar hon heddiw, Chals. Mi fasa sawl iâr yn licio gwneud nyth arni.'

Yn ôl fy nhad, mi oedd gwragedd canol oed a hen wragedd Bodffordd i gyd yn edrych 'run fath. Merched wedi cael bywyd caled, wedi byw heb y *mod cons* sydd ar gael heddiw, wedi chwysu uwchben boilar o ddŵr berw a golchi crysau, trowsusau a thronsiau, wedi magu llond tŷ o blant. Pan oedd 'na ddim lectric leit na nwy ar gael, pan oedd cannwyll a lamp baraffîn Aladdin yn goleuo'r tŷ, a thân glo yn cynhesu'r aelwyd a'r dŵr poeth i gael bàth. Pan oedd nos Sadwrn yn cael ei threulio yn torri papurau'r *Daily Post* a'r *Cloriannydd* yn sgwariau bach, yna rhoi pishyn o linyn drwyddyn nhw a'u rhoi i hongian ar ddrws neu wal y tŷ bach ar waelod yr ardd. Na, doedd y papur ddim yn wyn nac yn *soft and silk* bryd hynny, ond y fantais fawr oedd bod gynnoch chi bapur y gallech chi nid yn unig ei iwsio, ond mi oeddach chi'n gallu ei ddarllen o hefyd.

Roedd y merched yma i gyd efo pytiau tew o fysedd fatha sosejys, gwallt cyrliog, erioed wedi gweld yr *hairdresser*, wedyn wyneb coch fatha 'sa nhw newydd gael picnic bitrwt, a doedd y gwefusau ond prin yn agor rhag dangos yr ychydig ddannedd oedd ganddyn nhw ar ôl. Mi oeddan nhw i gyd unai'n byw mewn tŷ teras, *semi-detached* neu dŷ unigol, er doedd dim llawer o'r rheiny, ac yn ddiweddarach daeth y tai cyngor.

Roedd yn bechod anfaddeuol pe bai'r bêl ffwtbol yn mynd i ardd un o'r merched hyn. Cyn i neb gael cyfle i 'nôl y bêl byddai'r floedd i'w chlywed drwy'r pentra: 'Ti ddim yn ei chael hi 'nôl tan fory... Ewch i chwara i'ch ochor 'ych hunain, a gadael llonydd i ni pen yma... A gei di ddeud wrth dy fam, mae gynno hi bowlan reis sy'n perthyn i mi! Rois i fenthyg hi iddi dri Dolig yn ôl.'

Mi oedd yna dyddynnod bach o amgylch y pentra, ac yn un o'r tyddynnod yma roedd Tom Elis yn byw. Tom Elis dwi'n meddwl wnaeth werthu injan cynhyrchu trydan i Nhad. Dyn ffraeth, ac mi oeddan ni blant ychydig bach o'i ofn o ar adegau. Nhad yn dweud y stori amdano fo'i hun yn mynd i ofyn i Tom am gael benthyg ei beiriant torri gwair.

'Na chei, chei di ddim. Dwi'n iwsio fo heddiw i dorri coed tân.'

'Ol diawch, ddyn,' meddai Nhad. 'Fedrwch chi ddim torri coed tân efo peiriant torri gwair.'

'Mi fedra i wneud beth bynnag dwi isio efo peiriant torri gwair pan dwi ddim isio rhoi ei fenthyg o i ti,' oedd ei ateb.

Doedd yna ddim tafarn ym Modffordd yn fy nyddiau i, ond mae'n amlwg fod yna un wedi bod. 'The Royal Oak' yng ngwaelod y pentra oedd hi, sy'n dŷ i deulu erbyn hyn. Felly tra byddai'r dynion yn gweithio, yn siop Yncl Tomi y byddai'r gwragedd yn cyfarfod. Dwi'n cofio'n dda y byddai Mam yn siopa am rai pethau bob dydd, ac yn mynd i'r siop fwy nag unwaith mewn diwrnod, oherwydd doedd gynnon ni ddim rhewgell, na neb arall yn y pentra chwaith.

Roedd y siop yn fan cyfarfod, ac mi oedd Yncl Tomi'n bry ar y wal i weld a chlywed y pethau rhyfeddaf. Wedyn byddai'n rhannu'r straeon efo'i frawd, Charles, a fynta wedyn yn eu rhannu efo'r genedl yn ei ffordd ddihafal ei hun.

Mae'n debyg i chi ei glywed yn sôn am yr hogyn bach yn dweud, 'Mae Mam yn gofyn newch chi newid y *toilet roll* 'ma am baced o sigaréts, Tomi Wilias. Nath y *visitors* ddim troi fyny.'

'Jini dy wraig yn dŵad i mewn 'ma ddoe, Charles, yn dweud, "Iola yn deud bod Now ei gŵr wedi cael *middle-age spread*... Dwi isio'i drio fo, Tomi. Oes 'na ddybl *green shield stamps* efo fo?"'

Mae 'na stori wych am Bob ac Annie, oedd 'di bod yn briod am 65 mlynedd, y ddau yn y siop efo'i gilydd un diwrnod ac Annie yn rhyfeddol o ddistaw. I dorri ar y tawelwch dyma Bob yn dweud wrth Annie,

'Ti'n ddistaw iawn heddiw, Annie.'

'Wel, yndw,' meddai. 'Meddwl dwi.'

'Meddwl am be, Annie?'

'O, dim ond meddwl. Meddwl amdanon ni, ti a fi.'

'Wel, meddwl be?'

'O, dim ond meddwl, Bob, meddwl amdanon ni.'

'Ia, ia, ond meddwl be, Annie?'

'Meddwl na fyddwn ni'n dŵad i'r siop yma efo'n gilydd am yn hir iawn eto.'

'Ol be ti feddwl?'

'Dyma ni rŵan wedi bod efo'n gilydd ers 65 o flynyddoedd. 'Dan ni ddim yn mynd dim 'fengach... a ro'n i'n meddwl, ma'r diwrnod yn siŵr o ddŵad yn fuan, a ma rhaid i ni wynebu'r gwir, mi fydd un ohonan ni'n cael ein galw i fyny 'na.'

'Wel ia, ma'n siŵr o neud, Annie bach, does gynnon ni ddim dewis efo peth felly.'

'Ac o'n i'n meddwl, Bob, pan neith o ddigwydd, dwi am symud i fyw at fy chwaer yn Malltraeth.'

Pe baech chi'n galw gyda'r nos yn nhŷ Mrs Jôs Tŷ Capel, mi fyddai hi'n gofyn, "Dach chi 'di cael swpar? Mi ydan ni... Mi faswn i'n cynnig darn o gacan blât i chi, ond dwi ddim 'di rhoi y gyllall ynddi eto.'

Yn ôl Nhad, dau brif bwnc sgwrs sydd gynnon ni'r Cymry, y tywydd ac iechyd. Fel y gallwch fentro, byddai'n egluro'r gosodiad. Pan fydd person yn gofyn 'Sud ydach chi?' maen nhw'n gwneud hynny er mwyn i chi ofyn iddyn nhw sut maen nhw! Nhad yn dweud ei fod wedi clywed am afiechydon nad oedd yn bodoli, am lawdriniaethau na chawsant erioed eu dyfeisio. Mae rhai pobol yn ymfalchïo yn eu salwch, ac yn brolio eu bod yn waeth na phawb arall.

Roedd syrjeri doctor, meddai o, yn fan ardderchog i glywed a phrofi comedi. Mi oedd 'na ddwy ddynes o Fryngwran yn syrjeri Gwalchmai bob dydd Llun yn rheolaidd, byth yn methu. Un dydd Llun, wnaeth un ddim dod i weld y meddyg, felly mi allwch fentro beth oedd testun y sgwrs y dydd Llun canlynol:

'Ol Jên bach, o'n i'n poeni amdanat ti'r wsnos dwytha, pan oeddach chdi ddim yma.'

'Ia, fedrwn i ddim dŵad, yli.'

'Wel pam?'

'O'n i'n sâl.'

Petai Nhad am sgwennu sgets neu jôc am syrjeri doctor neu salwch neu ysbyty, y cyfan y byddai'n rhaid iddo'i wneud oedd cofio syrjeri Gwalchmai a dychmygu'r holl gymeriadau o'i gwmpas, a gadael i'r ddrama agor o'i flaen. Fyddai dim rhaid iddo orliwio na chwyddo straeon cymeriadau fel Ned Fix i'w gwneud yn ddoniol; roedd Ned wedi gwneud hynny'n barod.

Ned yn dŵad i mewn i'r syrjeri yng Ngwalchmai am ddeg y bore, a honno'n orlawn. Agor y drws, edrych o'i gwmpas a gweiddi mewn llais main, 'Yn 'i wely mae o o hyd, 'chi,' gan gyfeirio at y meddyg. 'Ia, chodith o ddim am awr arall, gewch chi weld. Mmm, brysur ddiawchedig 'ma bora 'ma. 'Sa well i'ch hannar chi fynd adra, 'cofn i chi ddal rhwbath. Tomos Henry yn tagu yn gornal 'cw fatha casag breimin efo ffliw arni.

'Fydd Doctor Glyn ddim mewn hwylia da heddiw, na fydd, wir yr rŵan. Mi oedd o mewn hwylia gwael ddoe 'fyd, ac yn gas efo pawb. Peidiwch â mynd i'w weld o os nad ydach chi ar fin marw. Peidiwch â mentro drwy'r drws... Welsoch chi'r *black eye* 'na gin Dic Graig? Doedd honna ddim gynno fo pan aeth o i mewn! Ia, ar 'nefaid i. W'chi be ddudodd o wrth Dilys Plas? Wel, mi dduda i 'tha chi. Deud nad oedd 'na ddim byd yn bod arni. Mi farwodd Dilys ar ffor allan, a 'dach chi'n gwbod be nath o wedyn? Mi drodd hi rownd a deud bod hi 'di marw ar ffor mewn.'

'Dach chi 'di clywed y jôc yna gan un o ddigrifwyr *Y Jocars*? 'Dach chi'n gwybod rŵan o le daeth hi... Ned Fix!

Ned wedyn yn ista i lawr a dweud, 'Ma gin *i* ddigon o amsar, 'mond wedi dŵad â'i gwningod o iddo fo ydw i.'

Yr hen botsiar craff yn gwybod ble i wneud ceiniog neu ddwy. Mi oedd y cleifion yn syrjeri Gwalchmai yn teimlo'n well ar ôl i Ned fod yno.

Byddai'r ddau, Ned a Nhad, yn rhyw chwarae gêm efo'i gilydd. Roedd Ned yn gwybod y byddai Nhad yn mwynhau ei helyntion, felly byddai'n ychwanegu at y gwirionedd, yn lliwio'r stori â phaent trwchus ei ddychymyg ei hun. Os oedd 'na bump yn disgwyl i weld y meddyg yn ei stori, byddai Ned yn dweud pymtheg; os byddai o wedi aros yn hir byddai'n dweud, 'Fuo rhaid i mi siafio ddwywaith wrth ddisgwl!'

Byddai Nhad weithiau'n chwerthin yn uchel ac yn hollol

ddireol, yna'n dŵad adra a dweud yr hanes wrth Mam, a finna'n gwrando. Do'n i ddim isio colli'r un gair, ac ro'n i'n gwybod ei bod yn stori dda pan fyddai Mam yn dweud, 'Ol cym on, Charles, trïwch ddeud y stori heb chwerthin, newch chi?' Ned wedi dweud wrth Nhad ei fod wedi cael y rash mwyaf ofnadwy dros ei gorff i gyd, ac mi aeth i weld Dr Glyn yng Ngwalchmai. 'Oeddat ti'n gwbod, Charles, fod 'na bedwar doctor yno rŵan? Oes tad [doedd 'na ddim], Dr Glyn, Dr Jones, Dr Elwyn a Dr Hughes. Y trwbwl rŵan ydi 'sa neb yn gwbod twrn pwy ydi hi, na pwy maen nhw'n 'i weld. So, es i mewn, 'li, Charles, o flaen y dyn 'ma oedd efo bwyall yn 'i ben. Do'n i ddim yn 'i nabod o, ond mi dduda i hyn, ew, mi oedd o'n cwyno, yn cwyno a chwyno am ryw reswm. Na, wir yr, Charles, chlywis i neb yn cwyno 'run fath â fo. Beth bynnag, es i mewn a deud wrth y doctor 'mod i 'di dal y rash 'ma mewn lot o lefydd, a 'ma fo'n gofyn i mi yn lle, a medda finna "Yn y Post Office, yn y bỳs ac yn y bwcis..." "Tynnwch 'ych dillad," medda fo, a mi 'nes. O'n i ddim yn mynd i ddadla, a dyma fi, Charles bach, yn sefyll yno bron yn noeth... ia, bron yn noeth, 'sdi. 'Nes i ada'l fy sgidia a fy sana 'mlaen. Wel, ti ddim yn gwbod, falla 'sa'r syrjeri 'di mynd ar dân, a dwi ddim yn un am fynd allan i'r stryd yn edrach yn stiwpid, fel ti'n gwbod. Mi oedd y doctor isio sampl gwaed, ac mi fethodd yn llwyr gael gwaed allan ohona i. Mi driodd bob man, 'y mraich, 'y nwylo, 'y ngwddw, dim dropyn, dim byd, felly er mwyn helpu'r syrciwlesion ne' rwbath, mi ddudodd 'tha fi am redag rownd y syrjeri. "Wel ia, iawn," medda fi, "os bydd hynny o help", ond nath o ddim deud dim byd wrtha i am wisgo 'nillad. Felly dyma fi'n rhedag rownd y *waiting room* yn gwisgo dim ond fy sgidia hoelion mawr a sana. Bella Llan ofynnodd be o'n i'n 'werthu. Glywis i hi'n deud wrth 'i chwaer, "'Swn i'n licio un o'r rheina mewn *brass*."'

Ista wrth ochor Robert bach Llandrygarn oedd Ned yn y

syrjeri un diwrnod. Dyn distaw, diniwed, a hen lanc, oedd Robert. Dyma Ned yn manteisio ar ei gyfle.

"Dach chi ddim 'di dŵad yma oherwydd 'ych iechyd, ydach chi, Robart?'

'Wel do, am wn i, do.'

'Ewch adra'n syth tra mae o gynnoch chi... Ydi'ch enw chi i lawr am gadair olwyn? Os nad ydach chi angan un rŵan, mi fyddwch ar ôl gweld hwn.'

Robert yn ateb yn grynedig, 'Wel, gobeithio fydd o ddim yn hir, dwi'n *private patient*.'

"Mots gin i os 'dach chi'n *private detective*, chewch chi ddim 'i weld o'n ddim cynt, a chewch chi ddim mynd i mewn o 'mlaen i.'

Ned yn hwyr bnawn Sadwrn yn mynd i siop Gwilym Bwtsiar ar frys ac yn gofyn i Gwilym am ddwy gwningen. Bryd hynny byddai bwtsieriaid yn gwerthu cig cwningod, a'r cwningod hynny'n hongian y tu allan i'r siop. Gwilym yn dweud,

'Ol dewch, ti'n rhy hwyr, Ned bach. Maen nhw i gyd wedi'u gwerthu, ond ma gin i ddarn o ham neis iawn fedra i werthu i ti.'

'Darn o ham?' meddai Ned. 'Sud fedra i fynd adra at nacw a deud 'mod i wedi saethu darn o ham?'

Tybed faint o wir oedd yn straeon Ned? Wel, mi wna i adael i chi ddychmygu, ond mi wnaeth i Nhad chwerthin am gyfnod hir iawn, a llawer i gwmni dethol arall am yn hir iawn wedyn.

Mi oedd Wil Fix, brawd Ned, yn licio rhoi'r argraff ei fod yn awdurdod ar bopeth. Doedd o ddim, ac mi oedd o'n gwybod hynny... od 'te? Ond cymeriad fel'na oedd Wil, dyna pam y byddai Nhad wrth ei fodd bod yn ei gwmni, neu'n clywed am rai o'i helyntion gan bobol eraill. Mi ddaeth Wil i fyw i Fodffordd – nefoedd ar y ddaear i Nhad. Nid yn unig roedd yn drît cael Wil i adrodd straeon, ond roedd Wil yn adrodd straeon am Ned hefyd... 'two for the price of one' fyddai Nhad yn siŵr o fod wedi'i ddweud am hynny heddiw.

Byddai Wil yn hoffi actio fel y math o foi oedd yn gwybod y blwming lot, ond nid yn gas nac yn fawreddog, jyst yn ddoniol i dynnu coes. Roedd, yn ddistaw bach, am ddangos ei fod yn awdurdod ar bopeth, dim ots am beth fyddech chi'n sôn. Roedd o'n gwybod y cyfan, neu o leiaf roedd o'n gwybod yn well na chi. Mae 'na bedwar gair fyddai o byth yn eu rhoi efo'i gilydd – 'Dwi ddim yn gwbod.'

Mae yna bobol fel yna i'w cael. 'Dach chi'n eu cyfarfod mewn tafarn, gêm bêl-droed, theatr, siop neu yn y syrjeri. Maen nhw ym mhob man... Falla eich bod chi'n ista drws nesaf i un rŵan. Er bod Wil yn rhoi'r argraff ei fod yn hollwybodus, yn feistr ar bopeth, yn nabod pawb, yn gallu traethu ar bob pwnc dan greadigaeth Duw, malwr awyr oedd o. Ond os oeddach chi'n ei nabod o, roedd yn bleser bod yn ei gwmni'n malu awyr efo fo, jyst i weld pa mor bell y byddai o'n mentro gyda'i ffug wybodaeth. Ond rhaid cofio mai tynnwr coes oedd Wil, yn fwy na dim arall, ac wrth ei fodd yn twyllo wrth dynnu coes. Mi fyddai o'n newid 'i lais, a chreu llais dyfnach, yn arbennig wrth siarad efo pobol ddiarth, er nad oedd ganddo fawr o Saesneg.

Fel y gŵyr pobol Gwalchmai'n iawn, mi oedd Wil yn dda iawn am ymweld â'r cleifion yn yr ysbyty. Unwaith y byddai'n cael gwybod bod cyfaill neu aelod o'r teulu yn sâl yn yr ysbyty, byddai'n neidio ar y bỳs i Fangor neu Gaergybi, ond gwae'r rhai hynny nad oeddan nhw'n ei nabod. Byddai'n ymweld â nhw hefyd, ac ymweld â nhw yn llawn awdurdod. Mi aeth at wely un hen ŵr, a oedd siŵr o fod yn ei wythdegau, a gofyn, 'Ydach chi'n cael siwt newydd?' 'Wel na, dwi ddim yn meddwl,' meddai'r claf. 'Wel, mi oeddan nhw yn 'ych mesur chi am rwbath gynna.'

Cyn i Nhad fod yn rhannol gyfrifol am ddechrau

tîm pêl-droed ym Modffordd, Gwalchmai oedd ei dîm pêl-droed a Gwalchmai y byddai o'n eu cefnogi, er bod Llangefni'n nes. Mi roedd 'na sawl cymeriad doniol yn Llangefni hefyd, ond roedd mwy o ddyfnder rywsut ym mhobol Gwalchmai, meddai o. Mi oedd 'na reswm arall hefyd. Mae gen i frith gof ei fod, ar un adeg, wedi chwarae i Walchmai, 'rôl cael *transfer* o Langristiolus. Mi wn yn bendant fod Yncl Alun wedi chwarae i Walchmai, ac yn ôl y sôn yn dipyn o foi ar yr asgell.

Mi fyddai Nhad wrth ei fodd yn sefyll yn gwylio'r gêm, efo Pencloc. Dwi ddim yn gwybod enw bedydd y dyn hwnnw, gan mai Pencloc y byddai Nhad yn ei alw. Dwi'n siŵr y bydd pobol Gwalchmai yn gwybod am bwy dwi'n sôn. Nhad yn dweud wrtho un Sadwrn, 'Ma Arthur Furlong yn dŵad yma i chwara i ni. Mae o'n frawd i Ian Furlong.'

Mi ddaeth Arthur i mewn rhyw ddau Sadwrn wedyn. 'Chals, ma'r Ffyrlo 'ma yn un da,' meddai Pencloc.

A Ffyrlo fuodd Arthur tra buo fo'n chwarae i Walchmai.

Dyn tal dros ei chwe troedfedd yn meddu ar hiwmor sych oedd Pencloc, ond mae'n ddowt gen i a oedd o'n gwybod ei fod o'n ddoniol. Byddai pnawn efo Pencloc yn rhoi syniad am o leiaf dair neu bedair jôc neu stori i Nhad, ac mi alla i warantu bod y straeon yna wedi eu rhannu efo sawl cynulleidfa.

Dyma i chi un o'r pethau doniol ddywedodd o, ond fyddai yna ddim lot o bobol yn deall hyn heddiw – doeddwn i ddim. Nhad yn gofyn, "Dach chi 'di bod yn brysur heddiw, Pencloc?' Fynta'n ateb, 'Na, 'mond mynd i'r *inkwell* yn y *post office* i lenwi fy *fountain pen*.' Da? Wel, rhaid i chi gofio'r cyfnod pan oedd ganddyn nhw *fountain pens* ynghlwm wrth gadwyn, at wasanaeth y swyddfa bost.

Pencloc hefyd, yn ôl fy nhad, oedd â'r clasur o stori am ei gap. Roedd Pencloc, fel pob dyn bron yng nghyfnod y 1940au a'r 1950au, yn gwisgo cap mewn gêm bêl-droed a byddai'n gwisgo'r cap ar bob achlysur arall hefyd, Sul, gŵyl a gwaith. Fe ddechreuodd fwrw glaw mewn gêm yng Ngwalchmai un pnawn Sadwrn, a dyma Pencloc yn tynnu'i gap oddi ar ei ben a'i roi yn ei boced. Nhad yn edrych yn syn arno a dweud,

'Ol diawch, Pencloc, mae 'di dechra bwrw. Pam 'dach chi 'di rhoi'r cap yn 'ych pocad?'

Saib hir. 'Ia, wel, Charles,' meddai, 'ti ddim yn disgwl i mi ista o flaen tân drwy nos heno'n gwisgo cap gwlyb, wyt ti?'

Mi oedd 'na un ddynes o Walchmai, Elsi neu Ella dwi'n meddwl oedd ei henw, gwraig weddw yn byw efo'i mab mewn tŷ teras ar y ffordd allan o Walchmai Uchaf i gyfeiriad Berffro. Mi fyddai Elsi yn ymweld â phobol oedd yn sâl. 'Rhoi bach o gysur yn costio dim, nac'di. Ma pawb isio ychydig o gysur, yn toes,' byddai hi'n ei ddweud. Er, doedd geiriau Elsi ddim bob amser yn eiriau o gysur; yn wir, braidd yn annoeth yn ei dewis o eiriau fyddai hi.

Mae 'na stori amdani'n galw yn nhŷ gweinidog y Methodistiaid efo bwnsiad o flodau.

''Di dŵad i weld o, y Parch., ydw i, Musys. Brynis i'r bloda 'ma. Os neith o farw, ta nhw ddim yn wast… Mmm, sud mae o 'ta? 'Di o'm yn edrach yn rhy dda, yn nag'di?'

'O…' meddai Mrs Gweinidog swil a pharchus. 'Mae o'n teimlo'n well o lawar heddiw, diolch yn fawr.'

'Mmm, yn well, o, yn well, ydi o?' meddai Elsi. 'Mi oedd Greta Parry yn deud wrtha fi bod Tomos ei gŵr hitha yn well hefyd… Ma nhw'n 'i gladdu fo fory.'

Fe wnaeth Elsi orfodi un teulu i symud tŷ ar ôl ei hymweliad! Yn ôl y sôn, mi aeth i weld John Henry Roberts, dyn mawr oedd yn byw mewn tŷ bychan un llofft ar ochor y lôn bost yng Ngwalchmai Isaf. ''Di dŵad i weld sut mae o.' Wedi'i weld o'n ddyn gwael yn ei wely meddai, 'Ol dewch annw'l dad, fedrwch chi byth gael arch allan o fan'ma, 'chi. Mae'r drws yna'n rhy gul o lawar,' meddai heb ystyried pa mor annoeth oedd ei geiriau. 'A sbïwch ar y tro sy ar ben y grisia 'ma. Fedrwch chi byth gael arch allan o fan'ma 'mots faint newch chi drio, ac mi fydd yn rhaid i chi symud y wardrob fawr 'na yn y gwaelod... Na, credwch chi fi, fedrwch chi ddim cael arch allan o'r tŷ 'ma. Mi fyddwch yn siŵr o rwygo'r papur wal, a sbïwch, mae'r drws ffrynt yn lot rhy gul 'fyd.'

Fe glywais fy nhad yn dweud y stori yna sawl gwaith o'r llwyfan, a'i gymeriadu'n rhoi darlun perffaith o'r sefyllfa.

Wel dyna ni, ffrindiau annwyl. Diolch am ddarllen y llyfr, a gobeithio eich bod wedi cael tipyn o chwerthin ar y daith efo fi.

Diolch, Dad, am yr atgofion... Dwi'n dal i chwerthin...

Gair am yr awdur, Idris Charles

Mae cyw o frid yn well na phrentis, meddan nhw. Cyw o frid yn ystyr yr hen ddywediad yna ydi Idris Charles. Roedd ei dad a'i hen daid yn ddigrifwyr a pherfformwyr poblogaidd iawn, a Charles ei dad ymysg diddanwyr gorau'r byd darlledu proffesiynol, ar deledu, radio a llwyfan yn yr iaith Gymraeg. Roedd ei hen daid, John Charles Rowlands o Amlwch, tad ei nain, yn ddiddanwr, digrifwr a chanwr amatur heb ei ail.

Felly cyn i'r cyw gyrraedd y nyth roedd ei yrfa wedi ei gosod o'i flaen yn y DNA.

Yn fuan iawn daeth ef a phawb o'i gwmpas i sylweddoli mai dilyn yn ôl troed ei dad fyddai Idris. Byddai, o oedran ifanc iawn, yn llythrennol yn dilyn ôl troed ei dad – mynnai yn fwy na'i frodyr a'i chwiorydd fod yng nghwmni ei dad, boed hynny wrth gefnogi tîm pêl-droed Gwalchmai, ar y tractor yn cario gwair yng Ngherrig Duon neu yn stiwdios y BBC ym Mangor a Chaerdydd. Os oedd rhywun yn chwilio amdano ac am wybod ble'r oedd Idris, doedd dim ond angen darganfod ble'r oedd Charles, ac yno wrth ei ochr byddai'r cyw yn gwylio, gwrando a phigo'r briwsion a ddisgynnai yn ei ffordd.

Fyddai Idris byth yn blino ar glywed ei dad yn adrodd straeon am gymeriadau Bodffordd a'r ardal gyfagos, gartra ar yr aelwyd neu mewn nosweithiau llawen ledled y wlad, a buan iawn y daeth i ddynwared y cymeriadau hyn, rhai na welodd na chwaith mo'i clywodd drosto'i hun.

170

Pan fu iddo dorri'n rhydd o sŵn a sain yr aelwyd gartra, a cheisio dilyn ei gŵys ei hun, cafodd gryn lwyddiant. 'Fydd Charles byth farw tra byddi di byw' oedd tystiolaeth sawl un fu'n gwrando arno. 'Fyddi di byth cystal â dy dad' oedd tystiolaeth llawer un arall.

Agorodd Idris ddrysau newydd er mwyn i adloniant Cymraeg gael ei weld a'i werthfawrogi'n well drwy gynhyrchu sioeau adloniant mawr 'Sêr Cymru' o'r Majestic yng Nghaernarfon, na fu eu tebyg yn Gymraeg, gydag yn agos i fil o bobol yn mynychu'r sioeau unwaith y mis dros gyfnod o ddwy flynedd. Agorodd ddrysau hefyd i lu o artistiaid newydd, ac mae'n dal i wneud hynny.

Bu'n gyflwynydd teledu a radio o ganol y 1960au, yna'n ymchwilydd ac is-gynhyrchydd gyda chriw adloniant talentog ac arloesol HTV dan arweiniad medrus Peter Elias Jones. Cafodd brofiad o weithio a sgwennu i rai o sêr mawr comedi Prydain, a bu'n gynhyrchydd gyda Tinopolis hyd nes iddo ymddeol yn chwe deg pump mlwydd oed.

Aeth i Goleg Diwinyddol Aberystwyth am gyfnod, ac er mai fel diddanydd y caiff Idris ei adnabod, mae sawl un wedi cael gwefr o'i glywed yn pregethu gydag arddeliad.

Ond dydi o heb orffen yn llwyr eto, meddai o; mae'n dal i dderbyn ambell wahoddiad i gynhyrchu, i gyflwyno, i arwain ac i rannu ei brofiadau wrth sgwrsio gyda gwahanol gymdeithasau ac, wrth gwrs, i bregethu.

Hefyd gan yr awdur:

CYFRES TI'N JOCAN

hiwmor
IDRIS A CHARLES

Idris Charles

y Lolfa

£4.95

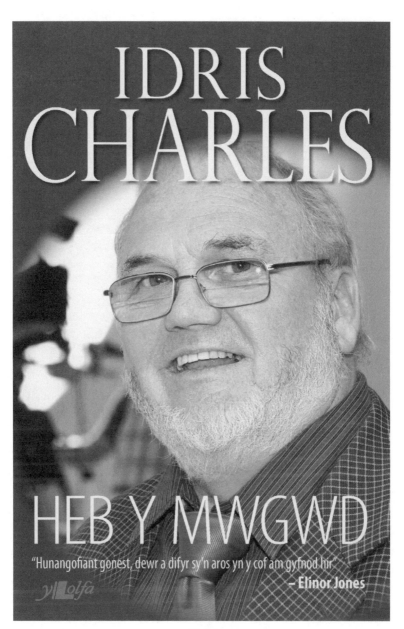

IDRIS CHARLES

HEB Y MWGWD

"Hunangofiant gonest, dewr a difyr sy'n aros yn y cof am gyfnod hir."
– Elinor Jones

y Lolfa

£9.95